新一代信息技术

段 威 ◎主编

中国书籍出版社
China Book Press

新一代信息技术

段　威　主编

责任编辑	年丽莎
责任印制	孙马飞　马　芝
封面设计	范　荣
出版发行	中国书籍出版社
地　　址	北京市丰台区三路居路 97 号（邮编：100073）
电　　话	（010）52257143（总编室）　　　（010）52257140（发行部）
电子邮箱	eo@chinabp.com.cn
经　　销	全国新华书店
印　　刷	青岛鑫源印刷有限公司
开　　本	787 mm × 1092 mm　1 / 16
字　　数	152 千字
印　　张	9
版　　次	2020 年 3 月第 1 版　2020 年 3 月第 1 次印刷
书　　号	ISBN 978-7-5068-6227-1
定　　价	38.00 元

版权所有　翻印必究

编委会名单

主　　编　段　威

主　　审　李一龙　徐永龙

编　　委　王晓静　段瑛琛　周艳玲　刘福涛
　　　　　　杨云杰　夏鲁朋　梁晓阳

技术顾问　程国治　李　磊

前 言

Preface

　　随着构建大规模低成本信息系统的能力进一步提升，越来越多物理世界的信息被存储和利用起来。以云计算、大数据、人工智能、区块链、物联网等为代表的新一代信息技术随之而生，正在深刻改变人类社会的方方面面，对人们未来的生活、生产方式产生深远影响。

　　人类社会、物理世界、信息空间组成了当今世界的三元。而新一代信息技术所具有的数字化、网络化、智能化特征，使其不但充当了联通三元世界的桥梁，还正在助推三元世界的融合。通过数字化，人类社会、物理世界的信息借助文字、图片、视频、信号等载体转化为二进制编码的数字形式保存入信息空间；通过网络化，保存在信息空间中的信息得以在人类社会中传递，并被加工处理，变的易于被掌握和理解。但是，传递信息不是终点，新一代信息技术更强调信息空间对人类社会和物理世界的影响。通过发展物联网、信息物理系统等新技术，人类得以提高对人类社会、物理世界的认知和理解，从而更好结合生产要素，提升生产效率，生产出更具个性化的产品。智能化正是在此基础上产生的，它体现着人类对信息空间的利用能力。随着近年来硬件成本的进一步下降和处理能力的不断提升，大规模计算机集群技术得到突破，通过云计算，成百上千台普通计算机硬件连接成为一台超级计算机；同时，越来越多的信息存入信息空间，推动了大规模数据采集、处理和分析技术（大数据技术）的发展；最终，人工智能技术在此基础上得以突破，以深度学习为代表的新技术在语音、图像识别、语义理解、机器翻译等方面取得重大进展，甚至在某些方面超越了人类自身。但是我们也要看到，人工智能目前还处于感知智能的阶段，提升其认知能力，使之真正成为会学习，会推理的高级智能，是下一阶段努力的目标。

　　经过四十多年的发展，中国已成为全球制造业大国，但尚不是制造业强国。借助新一代信息技术对制造业升级改造，推动新旧动能转换，是中国从制造业大国走向制造业强国的必由之路。为此，培养大批既懂得传统生产技能，又掌握新一代信息技术的高素质复合型新工科人才就显得尤为重要。

为满足职业院校新工科人才的培养需求，在烟台市职业教育研究室的大力支持下，腾讯烟台新工科研究院充分发挥其在教育、人才、技术和产业方面的优势，牵头编写了这本新一代信息技术通识课教材。为保证教材质量，编者进行了充分调研论证和周密设计，力争使教材内容更贴近职业教育和产业现状。为兼顾能力与素质的培养要求，本教程全部采用项目式教学设计，着重培养学生的编程思维和编程能力，使学生在理解人工智能、大数据、区块链的基本概念和原理的基础上，具备初步的应用能力。

本教程的编写得到了烟台市职业院校同仁的大力支持与帮助，在此表示衷心的感谢。由于编者水平有限，书中难免存在谬误，希望广大读者给予批评指正，并将您的意见反馈给我们，以便于今后的进一步修订和改进。

编 者

2020 年 2 月

序 一

Prologue one

新一代信息技术历经几十年的积累，已经从理论概念衍化为渗透到经济社会生活各个领域，成为不可或缺的要素。这场变革发轫于传感技术、物联网技术、移动通讯技术的应用，兴盛于大数据（云计算）技术、智能感知技术、机器深度学习技术等的日渐普及，由此推动了社会各领域的蜕变与融合。

烟台市牢固树立新发展理念，坚持把发展职业教育摆在更加突出的位置，通过理顺职业教育管理体制，加强内涵建设，提升办学质量，创造了同经济社会发展需求密切对接的职业教育"烟台经验"。同时，围绕新旧动能转化和自贸区建设重大工程，引导学校调整和优化专业结构，将新一代信息技术融入专业课程体系，提升专业建设内涵，满足产业变革对技能人才的需求。为解决新工科专业升级改造难题，2018年12月，烟台市与腾讯公司达成战略合作协议，在烟台共同创设腾讯烟台新工科研究院，利用腾讯公司先进的智能设备、网络资源和技术、人才优势，开展新工科智慧教育和应用技术的研究，打造本地化智慧应用解决方案和课程体系，助力产业升级。

令人欣慰的是，在《教育部和山东省人民政府关于整省推进提质培优建设职业教育创新发展高地的意见》出台之际，腾讯烟台新工科研究院勇于先行先试，牵头编撰了这本《新一代信息技术》通识课教材，为全国的职业教育新工科课程建设送来了一场及时雨。教材的编写过程，是集众智、凝众力的过程，是技术创新、模式创新的过程，点点滴滴都凝聚着研究院、院校、企业同仁的心血与汗水；教材采用行业最前沿技术，内容涵盖大数据、人工智能、编程技术及区块链这些最富时代特征和应用价值的信息技术领域，为求知若渴的学子提供最美味、最营养的精神食粮；教材的内容呈现和由此衍生的授课方式，与职业教育能力培养的价值取向一致，有利于智慧课堂的推广使用和师生学习共同体的构建。

希望职业院校以《新一代信息技术》教材的使用为契机，不断完善智慧决策支持系统、智慧质量管理系统和智慧学习支持环境；加快将新一代信息技术融入课程体系步伐，建设更多具有鲜明地域特色的校本教材，实现新工科专业内涵的升级换代；加快信息化教育教学改革步伐，进一步优化教育生态；加快推进信息化人才培养，促进师生信息素养全面提升。

同时，也希望腾讯烟台新工科研究院继续发挥好平台的示范引领作用，持续更新教材内容，始终与产业发展零距离对接。并在此基础上，逐步向其它新工科课程领域延伸，推动学校教育教学以及治理方式变革，优化教学技术、教学环境和教学资源，催生新的教学理念、教学模式，支撑传统教育迈向智慧教育新时代。

许箕展

2020 年 1 月 20

序 二

Prologue Two

数字素养是 21 世纪数字经济时代必备的素养

数字经济是继农业经济、工业经济之后的一种新的社会经济形态，是基于新一代信息技术的经济活动，即数字产业化、产业数字化，其核心是经济活动的信息化。2019 年 9 月 4 日，联合国贸发会发布了《2019 年数字经济报告》，指出，代表数据流的全球互联网协议（IP）流量从 1992 年的每天约 100 千兆字节（GB）增长到 2017 年的每秒 46,600 千兆字节；到 2022 年，全球互联网协议流量预计将达到每秒 150,700 千兆字节。尽管如此，当前全球数字经济还处在早期发展阶段，美国和中国遥遥领先：它们占有全球区块链技术相关专利的 75%，全球物联网支出的 50%，全球公共云计算市场的 75% 以上，全球 70 个最大数字平台市值的 90%；数字财富创造高度集中在美国和中国，其它国家（尤其是发展中国家）面临持续充当原始数据提供者的角色，数字鸿沟十分显著且在进一步扩大！

根据腾讯研究院的研究报告，自 2013 年以来，中国数字经济一直在持续平稳快速增长，最近 3 年的规模更是从约 22 万亿元攀升到接近 30 万亿元。2016 年中国数字经济整体增长约 62%，达到 22.77 万亿元，占 GDP 的比重达 30.6%；数字经济带来 280 万新增就业人数，占中国年新增就业人数 21%。2017 年中国数字经济整体增长约 17.24%，达到 26.70 万亿元，数字经济占国内生产总值（GDP）的比重上升至 32.3%；2018 年中国数字经济增长 12.02%，达到 29.91 万亿元，占国内生产总值比重上升至 33.22%，数字经济消费端增长趋于稳定，数字产业增速领跑，增速达 184.1%。

根据中国信息通信研究院的报告，预计十年后，中国数字经济的 GDP 占比或会超过 50%，中国将全面进入数字经济时代。

2016年在G20杭州峰会上，我国倡导签署了20国集团数字经济发展与合作倡议。习近平总书记将发展数字经济作为中国创新增长的主要路径提出来，受到各方的积极响应、支持。2017年，数字经济首现《政府工作报告》，开启了发展新篇章。2019年12月10-12日，中央经济工作会议在北京举行，提出2020年六大重点任务，在"着力推动高质量发展"的任务中，再次明确提出要大力发展数字经济。

数字经济时代需要院校毕业生具备必要的数字素养（包括数字技能）。必要的数字素养是指掌握新一代信息技术（含数据科学）的基本知识与实践能力，知晓科技向善原则，养成基本的数字思维习惯，具备基本的综合应用、创新研发相关方法及工具的能力。不论从响应国家号召的角度，还是从跟上时代的步伐的角度，基于新一代信息技术的数字素养已成为21世纪数字经济时代广大师生必备的素养。否则，我们的师生将因缺乏数据科学知识以及数字思维能力，不能正确使用或有效研制数字化产品和服务，而成为陷入数字鸿沟的数字时代"文盲"，无法在数字经济时代生存。

随着互联网红利的消失，数字化发展的主战场正在从上半场的消费互联网向下半场的产业互联网转移。数字经济接下来最值得期待的是与包括制造业在内的实体经济的融合。中高职院校的工科类的专业多数是实体经济相关的专业，为实体经济培养人才；同时，信息类的专业招生人数也是逐年攀升，规模有大大超过传统工科类专业的趋势。院校人才培养应积极为实体经济转型升级以及数字经济发展服务，使学生在学习传统的IT类的课程基础上，了解和学习新一代信息技术，掌握数据科学基本知识，获取基本数字思维能力，以培养具有基本数字素养的复合型人才。

在这样一个时代大背景下，腾讯烟台新工科研究院响应教育部职教20条三教改革的号召，及时编写了针对中高职院校的新一代信息技术通识课教材，着实是一个令人振奋的好消息。该通识课包括人工智能技术（初步）、大数据技术、区块链技术以及程序设计入门四个方向，每个方向均由基本模块和拓展模块组成，内容贯穿于任务与情景之中，深入浅出、简繁得当，可作为相关中高职院校信息类专业新一代信息技术通识课使用，亦可作为需要IT技术支撑的其它工科类（尤其是新工科类）专业新一代信息技术通识课使用。

我应邀为这本通识课教材作序，感到非常荣幸。希望这本教材能为培养适应我国数字经济发展需要的具有数字素养的复合型人才打好基础，我也相信这门教材能圆满达成这个目标。

徐永龙博士

腾讯烟台新工科研究院

副院长、首席科学家

2020 年 1 月 30 日

序 三

Prologue Three

随着工业4.0时代的到来，以大数据、云计算、人工智能、物联网等为代表的新一代信息技术与传统行业加速融合，新一轮全球科技革命与产业变革正蓬勃兴起。新一代信息技术的应用成为新一轮产业革命的重要动力，也影响到社会生活的方方面面。我们熟悉的生活领域，小到智慧家居，大到智慧城市的建设步伐正在加快，人们的生活方式与理念正悄然发生翻天覆地的变化。在经济领域，新一代信息技术的应用使得新产业、新业态、新商业模式应运而生。一方面，让那些能与时代共舞的企业得以享受技术进步的饕餮盛宴；另一方面，又将许许多多落伍的企业逼入绝境。这一切，都昭示着社会对技术进步的强烈吁求。

为应对从业者知识能力结构与从业方式的变化，"新工科"理念在我国教育界应运而生。何谓"新工科"？一言以蔽之，新工科即以新理念、新模式、新结构、新体系、新技术（以新一代信息技术为代表）为支撑的工科。新工科对应三种工科专业类型：直接与新技术对应的新兴工科专业；经新技术融入，实现对专业升级换代后的新型工科专业；借新技术媒介实现传统专业间跨界融合，从而派生出的新生工科专业。教育部关于新工科建设的"复旦共识"、"天大行动"和"北京指南"，要求深入开展新工科研究与实践，推动思想创新、机制创新和模式创新，实现高等工程教育从学科导向转向以产业需求为导向，从专业分割转向跨界交叉融合，从适应服务转向支撑引领，由此吹响新一轮教育教学改革的号角。

毫不夸张地说，新一代信息技术是新工科的灵魂，也是新工科专业建设取得突破的关键。在我省职业院校中，围绕新工科建设的改革创新已初见成效，新专业设置、专业群的优化整合等相继开展。人工智能助力教学模式创新，大数据提供决策支持，信息化平台使得内部质量管理如虎添翼，由此带来教育生态的持续优化。但也应清醒地看到，由于缺乏系统的理论指导，加上受师资力量、技术条件等的制约，新工科专业建设的内涵质量还远远不能满足经济社会发展对新工科人才的需求。尤其是课程体系建设明显滞后，这不但表现在大数据、云计算、人工智能等新兴专业的课程体系不够健全上，还表现在将新一代信息技术融入传统工科专业课程体系，以实现专业优化升级及专业间的跨界交叉融合尚未得到实质性推进上。这个问题如得不到有效解决，那些先进的新工科理念便成了空中楼阁。

作为新工科研究和探索的先行者，腾讯烟台新工科研究院凭借自身软硬件资源领先和行业高端人才富集的优势，在新工科课程体系建设方面先行一步，作了有益的尝试。他们牵头编撰的《新一代信息技术》通识课教材，采用行业最前沿的技术，内容涵盖大数据、人工智能、编程技术及区块链这些最富时代特征和应用价值的信息技术领域，可解职业院校新工科课程体系建设及教学需求的燃眉之急。

为体现新工科的价值追求，《新一代信息技术》全部采用以项目为中心、高度情境化的课程设计，既为知识的呈现与传递提供了真实的活动场景，也构成了知识得以吸收与运用的课堂组织结构，有助于实现跨学科知识的广泛连接，引导学生自主进行探索式学习、合作式学习，帮助学生更好地实现意义重构和学习迁移。学生完成项目的过程，就是团队合作进行探索、发现、创造的过程，就是知识内化、能力提升、综合职业素养形成的过程，而这一切，正是新工科人才培养应对未来产业的复杂化、动态化挑战所追求的。

为满足不同学习人群的需要，《新一代信息技术》的内容由基本模块和拓展模块组成，基本模块保证基本教学目标的实现；拓展模块既体现了知识量的拓展、知识层次的提升，也体现了思维层次的提升。

为跟上科学技术飞速发展的脚步，《新一代信息技术》采用开放式教材设计，通过不断再版，保证内容结构不断调整优化，知识内涵持续更新迭代，信息化教学资源日趋丰富完善。

需要指出的是，教材的创新只是新工科教学改革的第一步。而更为关键的一步在于教学模式的创新。在新工科教学模式下，教师的角色不再是传统教学中那个高高在上、智珠在握的指点迷津者，甚至也不再是行动导向教学中的那个置身事外的咨询者与协助者，而变成了学生学习探险之旅中不可或缺的伙伴；学生也不再是那个等待被知识填满的容器，而成为学习活动的绝对主角；教学评价方式发生根本变化，评价主体多元、评价方式多样、评价过程动态、评价反馈即时、评价调控有效的评价方式势在必行。与此相适应，教学环境的创新和教师自身的发展，也成为题中应有之意。教师应利用新一代信息技术，创设学生深度学习的环境，以加深学生的学习体验，促进意义建构、学习迁移和问题的解决。总之，新工科教育教学改革任重而道远，需要广大职业院校师生为之付出艰辛的努力。

是为序。

李一龙

2020 年 1 月 20 日

教材使用说明

Instruction

为满足新一代信息技术发展对应用型人才的培养需求，在面向职业院校和企业进行广泛调研论证的基础上，由腾讯烟台新工科研究院牵头，编写了这本《新一代信息技术》通识课教材。该教材根据新一代信息技术特点，对职业院校传统《信息技术》通识课进行了丰富和完善，可作为补充教材使用。

一、教材的主要特点

1. 技术的先进性

采用行业最前沿的技术，内容涵盖大数据、人工智能、编程技术及区块链这些最富时代特征和应用价值的信息技术领域，可满足职业院校新工科应用型人才培养的急需。

2. 内容的实用性

《新一代信息技术》教材采用当下最流行、最实用的技术，有利于学以致用；内容循序渐进，重点突出，便于教师的教学设计与实施；按照教育部修订稿的要求，配备丰富的教学资源，满足信息化教学需要。

3. 课堂教学的高效性

以任务为导向，用故事情节贯穿始终，为课堂上的师生互动、生生互动创造了有利条件，能极大地激发学生的学习热情，提高学习效率。

二、教材使用建议

1. 关于基础模块与拓展模块

每一部分教学内容均对应不同的教学任务，每个教学任务都包含基础模块和拓展模块两部分。基础模块包含：学习目标、任务描述、任务分析、任务实现四个子模块，为必讲的部分；拓展模块可根据学生的培养目标要求、总计划课时数等进行取舍。

2. 具体课时安排

根据各部分内容的信息含量及教学难度，我们给出各章节的建议课时如下：

章	节	课时
程序设计入门	引言	1
	任务一	基础2+拓展2
	任务二	基础2+拓展2
	任务三	基础2+拓展2
	任务四	基础2+拓展3
	任务五	基础2+拓展3
	任务六	基础2+拓展3
人工智能初步	引言	2
	任务一	基础2+拓展2
	任务二	基础2+拓展1
	任务三	基础4+拓展2
大数据基础	引言	1
	任务一	基础4+拓展2
附录：区块链	引言	4

编　者

2020 年 1 月

目 录

Contents

◆ **程序设计入门** >>>

引 言 3
任务一　投篮少年 9
任务二　校园漫步 19
任务三　趣味数学 28
任务四　几何美学 38
任务五　动态时钟 47
任务六　循迹小车 56

◆ **人工智能初步** >>>

引 言 65
任务一　智能语音——语音助手 72
任务二　计算机视觉——看图识物 78
任务三　深度学习——拨开迷雾看本质 83

◆ **大数据基础** >>>

引 言 97
任务一　泰坦尼克号上谁最有可能存活 102

◆ **附录：区块链** >>>

引 言 121

关键词 124

程序设计入门

一、认识 Scratch 界面

图 1-1 Scratch 界面

舞台区：这里是故事和游戏的展示窗口，这一区域有如下按钮：

🚩 启动游戏

🛑 停止游戏

⛶ 全屏模式

角色区：这里包含项目中的所有人物和物品，从角色库中挑选，可自由绘制，可从电脑中上传。

背景区：这里包含项目中的所有背景，可从背景库中挑选，可自由绘制，可从电脑中上传。

积木区：这里包含 Scratch 中所有积木命令块，包含运动、外观、声音、事件、控制、侦测、运算、变量等八大基础模块，同时支持添加多种扩展模块。

脚本区：给背景和各个角色设置希望执行的命令。

二、角色、背景、脚本

（一）角色与脚本

角色以固定的图像在屏幕上移动，而背景并不是该图像的部分。这种渲染和让角色运动的方法诞生于上世纪 70 年代，电子游戏使用该原理便有可能添加更多精美的角色。而在这项发明之前，计算机只能在角色移动之后重绘整个角色。

Scratch 中使用的 2D 人物和各种物品都称为角色。Scratch 允许在角色库中选择角色，同时也可以自行设计、从计算机上传等。

图 1-2　添加角色

在 Scratch 中，角色能理解并执行为其设置的指令，这些指令以积木的形式存放在积木区，当一块或若干积木按照角色行为需求被拼接在脚本区中时，这些积木组成的程序就被称为脚本。

图 1-3　只有一块积木的脚本　　　图 1-4　脚本执行结果

除了脚本之外，角色还由哪些信息构成呢？在 Scratch 中，角色的主要信息还有造型、声音以及信息。

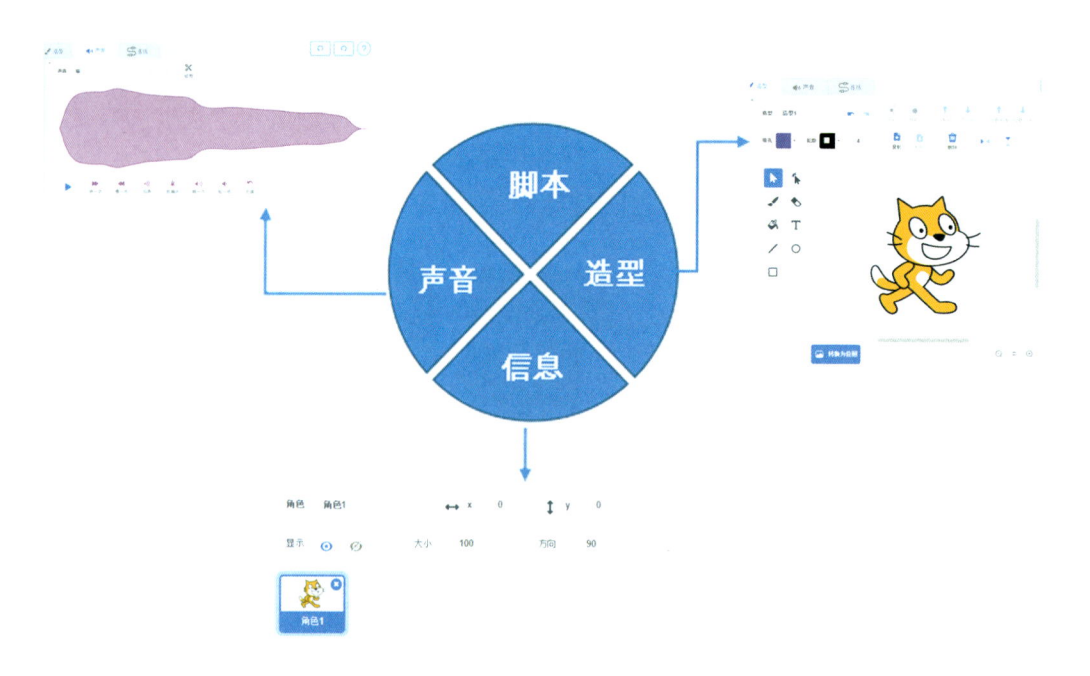

图 1-5　角色的属性

(二) 背景

Scratch 创建的游戏几乎总是被设置在固定的图像（即背景）上。和角色一样，可以选择自行绘制背景、上传背景、导入背景库中的背景等。

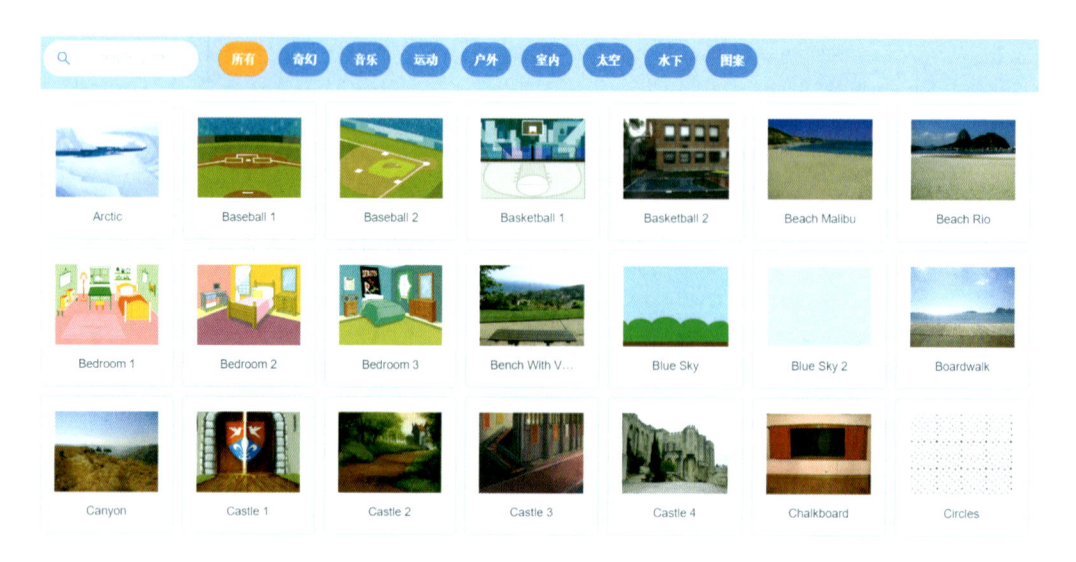

图 1-6　添加背景

同样，对舞台也可以进行脚本编写，控制舞台进行各种变换。

三、认识 Scratch 积木

积木的四大类型

Scratch 的积木有四种形状，代表着四种不同的类型，它们分别是触发积木、命令积木、控制积木和功能积木。

表 1-1　积木类型及功能

类型	积木说明	积木代表	形状特点
触发积木	等待"事件"发生，触发拼搭其下的脚本执行	当 🏁 被点击	又称帽子积木，其上方是圆弧形的，下方有凸起
命令积木	能执行一个命令，决定角色"做什么"	移动 10 步	上方有凹凸，下方有凸起
控制积木	能对命令积木、控制积木进行控制，决定它们是否做以及做的次数	如果 那么	形如 C 字，上方有凹凸，下方有凸起。中间凸起可以拼合其控制下的积木或积木组
功能积木	此类积木的结果是其他积木的输入值，它可以是数值、字符或逻辑判断值	鼠标的x坐标 / 碰到颜色 ?	没有凹凸，有圆角、六边形两种，嵌入其他积木中使用

四、Scratch 编程工具

本书中采用的编程软件是 Kittenblock。Kittenblock 是一款小喵科技出品的基于 Scratch3.0 的编程软件。它的扩展功能更加丰富，除了基本的如 Micro:bit、Arduino 等开源硬件的在线离线编程支持外，还涵盖许多实用的模块，如 IOT、机器学习、人工智能等等。

下载方式：打开 Chrome（谷歌）浏览器，在地址栏输入 https://www.kittenbot.cn/，进入小喵科技官方网站下载 Kittenblock 软件。

新一代信息技术

名词解释

指令与程序

计算机指令就是指挥机器工作的指示和命令，即用来指定进行某种运算或要求实现某种控制的代码；程序就是一系列按一定顺序排列的指令，执行程序的过程就是计算机的工作过程。

任务分析

（一）解读任务

在开始运动之前，都需要进行热身练习。通过血液在主要肌群中循环，让身体为下一步训练做好准备。一个适当的运动前的热身可以唤醒肌肉，为运动做好充分的准备。折返跑就是一项非常有趣的热身活动。

折返跑这个情景看似简单，但我们要如何用程序来解决这个问题呢？

先分解问题。折返跑是面向两个方向的，我们先来做单一方向的运动。

1. 角色？　　　　　　　　　（人物：小诚）
2. 触发条件？　　　　　　　（点击"绿旗"）
3. 角色状态？　　　　　　　（方向向右）
4. 角色行为？
   ① 什么行为？　　　　　　（移动）
   ② 行为值是多少？　　　　（50步）

那么，Scratch是如何解决这些问题的呢？

1. 新增并选择人物角色：

2. 控制积木：　当 🚩 被点击

3. 命令积木：　面向 90 方向

① 命令积木：`移动 10 步`；② 修改积木数值：`移动 50 步`

由此可见，无论是简单还是复杂的情景，在进行程序设计时必须细化问题，直至可以用基本的积木来表示。

(二) 相关积木学习

表 1-2　相关积木模块

积木	所属类别	功能
移动 10 步	"运动"模块	让角色沿当前方向移动 10 步。+10 步沿当前方向，-10 步沿相反方向移动
面向 90 方向	"运动"模块	设定角色的朝向，示例中面向的方向为 90 度（朝右）
换成 ben-b 造型	"外观"模块	更改角色的造型，角色可在不同造型中切换
移到 x: 20 y: 30	"运动"模块	移动角色到指定的舞台位置 (20, 30)
在 1 秒内滑行到 x: 50 y: 30	"运动"模块	在指定的时间内（1 秒），平滑地移动角色到指定位置 (50, 30)

任务实现

按照以下步骤，创建脚本程序。

Step1：新建项目，并命名为"投篮少年"

图 1-9　新建项目

Step2：添加角色和舞台背景

1. 添加角色

主人公"小诚"要出场啦！你可以自己手绘小诚的形象，也可以用现成的照片导入。Scratch 为我们提供了大量的角色素材，你可以选择一个最符合你心中的运动少年形象。

（1）删除小猫角色，从角色库中挑选与作品主题相匹配的角色。

提示

创建新角色的四种方法

1. 从本地文件中上传；
2. 从角色库中随机挑选一个角色；
3. 绘制一个角色；
4. 从角色库中挑选一个角色。

图 1-10　角色工具栏

人物我们选择的是一个叫"Ben"的少年，并再添加一个篮球角色。

程序设计入门

图 1-11　选择角色

（2）修改角色信息。可以重新设置角色名称、大小、位置等信息。

图 1-12　角色属性设置

2. 添加背景

小诚最爱打篮球，我们从背景库中选择篮球场地作为舞台背景，给少年一个最爱的舞台吧！

图 1-13　背景工具栏

13

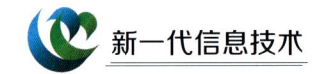

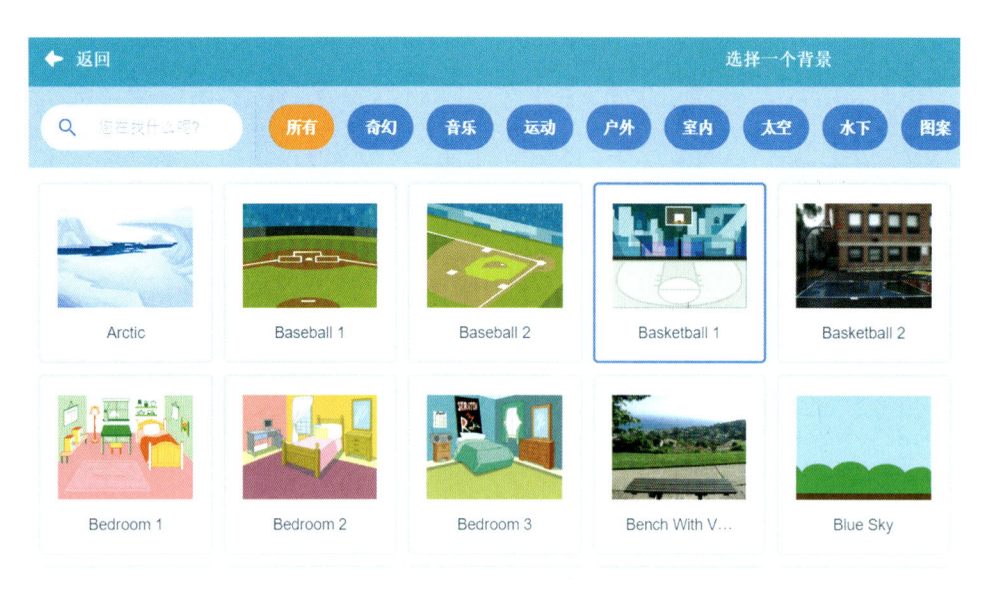

图 1-14 选择背景图片

图 1-15 效果图

Step3：编写程序

"小诚"角色

实现效果：小诚向右移动

程序流程图： 参考程序：

[当小绿旗被点击]
↓
[面向右向]
↓
[移动50步]

[当 🏳 被点击]
[面向 90 方向]
[移动 50 步]

知识点

顺序结构

像这种程序从上至下依次执行的结构称为顺序结构。

思考？

为什么向右移动是面向90°呢？向左移动是面向多少度呢？

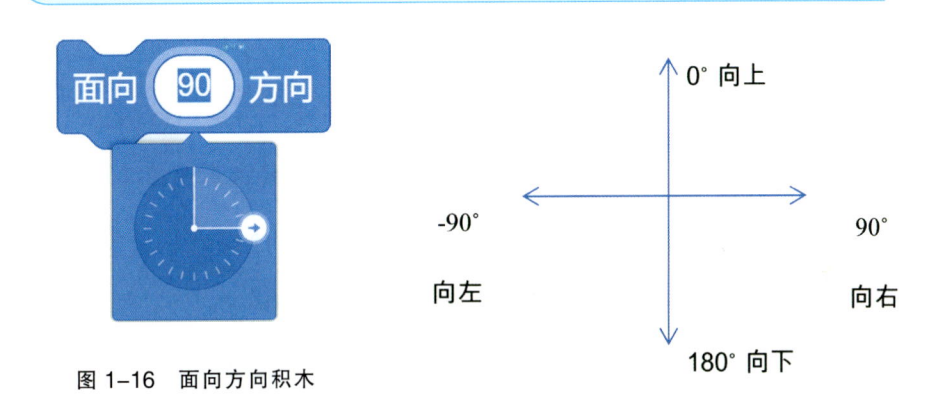

[面向 90 方向]

```
        0° 向上
         ↑
-90°  ←──┼──→  90°
向左     │      向右
         ↓
       180° 向下
```

图 1-16　面向方向积木

问题1：利用键盘能否控制实现折返跑效果？

提示：

[当按下 → 键]

图 1-17　启动程序控制积木

问题2：小诚现在是滑行的，怎样能让他的脚步更自然一些呢？

[换成 ben-b 造型]

图 1-18　切换造型积木

（1）篮球最初跟随小诚移动（即移动的坐标点相同）。

（2）当小诚切换造型开始投篮后，篮球形成自己的运动轨迹，移至篮筐并下落。

3. 任务实现

分别为两个角色编写程序。要注意为哪个角色编程就要切换到相应角色的代码界面。

参考程序：

图 1-22 角色"小诚" 程序

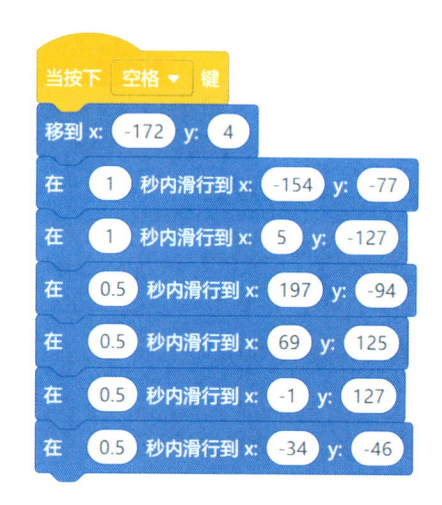

图 1-23 角色"篮球" 程序

(二) 挑战自我

尝试实现以下功能：

1. 增加投篮的真实感。小诚在投篮移动过程中造型呈现近大远小的效果，并且在投篮时有小幅度的跳起。

2. 自己绘制角色造型，让小诚有更加丰富的动作变换。

任务二　校园漫步

学习目标

1. 掌握程序设计结构中的循环结构。
2. 学会【重复执行】、【角色造型切换】、【碰到边缘就反弹】等模块的使用。
3. 设置场景，制作人物漫步故事动画。

任务描述

小诚来到了新的学校，新的环境让小诚感到很新奇。为了熟悉一下美丽的校园，小诚决定在校园里逛一下。悠闲地漫步于优美的校园，欣赏着校园里的一花一草，了解学校里的那些人和事……

图 1-24　作品效果图

任务分析

（一）解读任务

当点击小绿旗时，小诚在校园里不停地来回走动，漫步校园。

我们来一起分析一下任务：

(1) 角色？　　　　　（人物：小诚）
(2) 触发条件？　　　（点击绿旗）
(3) 角色状态？　　　（重复左右移动，碰到边缘就反弹）
(4) 角色行为？　　　（移动10步，切换步伐）

（二）相关积木学习

表1-3　相关积木模块

积木	所属类别	功能
重复执行	"控制"模块	脚本会无限重复执行
重复执行 10 次	"控制"模块	控制脚本执行的次数，比如连续执行10次脚本
重复执行直到	"控制"模块	设置重复执行结束的条件，直到某一条件成立则结束循环
等待 1 秒	"控制"模块	控制角色行为发生的时间，比如持续1秒
下一个造型	"外观"模块	将角色切换到下一个造型以改变其外观
当背景换成 School	"事件"模块	设置程序执行的条件；当背景切换为"School"时开始执行程序

任务实现

按照以下步骤,创建脚本程序。

Step1:新建文件,并命名为"校园漫步"。

Step2:设置舞台背景,从背景库中选择相应场景。

Step3:从角色库中选择人物角色"Ben"来代表小诚,并对角色进行造型和脚本分析。

1. 造型分析

小诚角色共有4个造型,通过观察可以发现,a和b造型符合行走时的动作。我们将c和d两个造型删除,保留a和b两个造型用于角色行走时造型的切换。

Ben-a　　Ben-b　　Ben-c　　Ben-d

2. 脚本分析

程序流程图:

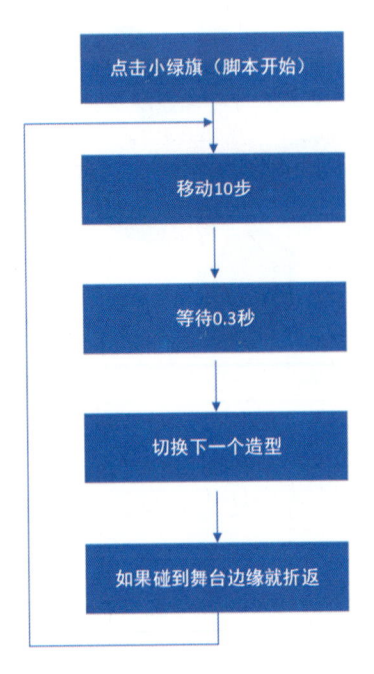

- 点击小绿旗(脚本开始)
- 移动10步
- 等待0.3秒
- 切换下一个造型
- 如果碰到舞台边缘就折返

参考程序:

当 ▶ 被点击
重复执行
　移动 10 步
　等待 0.3 秒
　下一个造型
　碰到边缘就反弹

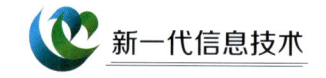

小知识

循环结构

循环结构是指在程序中需要反复执行某个功能而设置的一种程序结构。

在生活中，很多事情是有规律性、会重复出现的，如春夏秋冬、年复一年。在编程中，也会遇到需要重复进行相同处理的问题，这时就可以用循环结构来实现。Scratch中的循环执行模块有重复执行、重复执行次数、重复执行直到满足条件等。

图 1-17　Scratch中常见的重复执行模块

问题：程序效果实现了吗？有没有发现人物在折返后是倒立行走的？怎么解决这个问题呢？

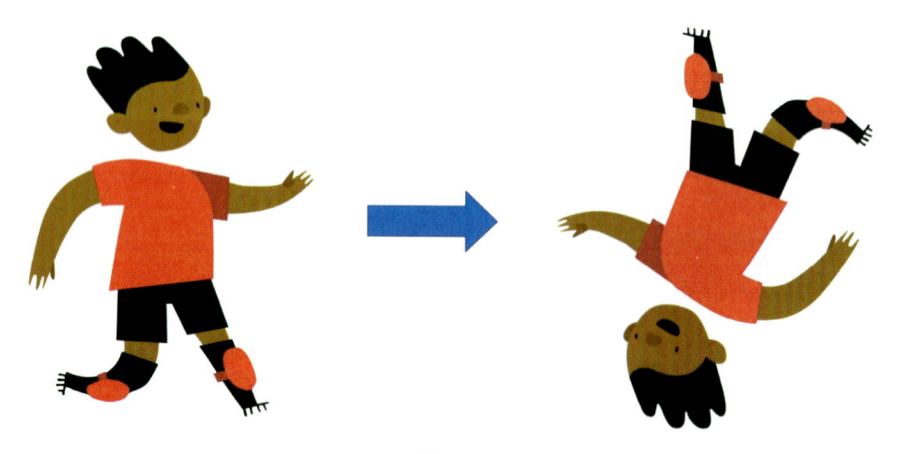

图 1-25

当然有办法啦！有两种方法可以解决问题。

方法1：在角色脚本中添加"旋转方式"模块，将旋转方式设为左右翻转，如图1-26。

方法2：在角色信息板中更改旋转方向，选择第二项"左右旋转"，如图1-27。

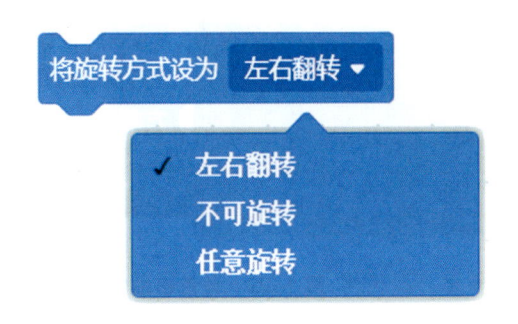

图 1-26　旋转方式模块　　　　图 1-27　面向模块

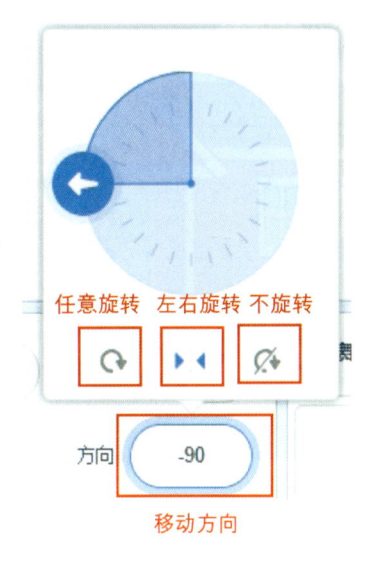

生机盎然的校园也会有小鸟、蝴蝶等小动物，可以尝试添加一下，飞来飞去的小伙伴会让小诚的校园漫步之旅变得更加生动有趣！

思维拓展

（一）任务升级

1. 任务描述

小诚从教学楼开始出发，依次走进了音乐楼、体育馆、图书馆、操场等地。校园好大呀！小诚在不同的地方都遇到了可爱的人和有趣的事，让他深深地喜欢上了这个新环境、新校园。

2. 任务分析

（1）小诚从某一地点（位置）出发。

（2）小诚走过校园的不同场所，需要切换不同的舞台背景。

（3）在相应场景中会出现不同人物或景物与小诚发生互动。

（4）当切换到下一场景，之前场景中的角色需要隐藏消失。

3. 任务实现

Step1：设置舞台背景，从背景库中选择多个不同背景作为小诚参观的场地。

Step2：初始化设置角色的位置及舞台的背景，比如让小诚从教学楼前开始出发，面朝右行走。

"学姐"角色程序代码：

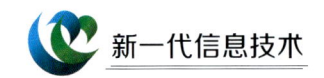

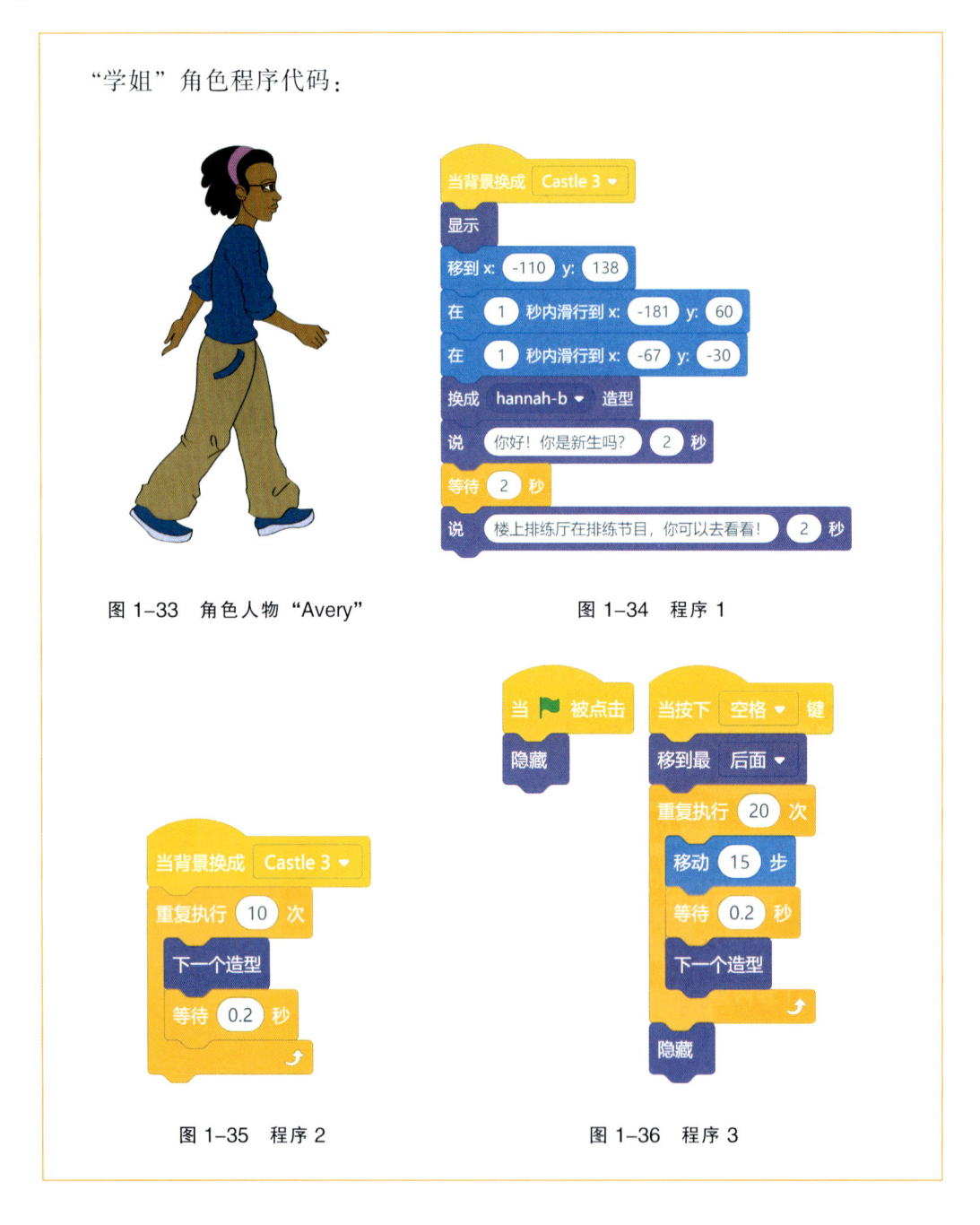

图 1-33　角色人物"Avery"

图 1-34　程序 1

图 1-35　程序 2

图 1-36　程序 3

"小诚"角色程序代码：

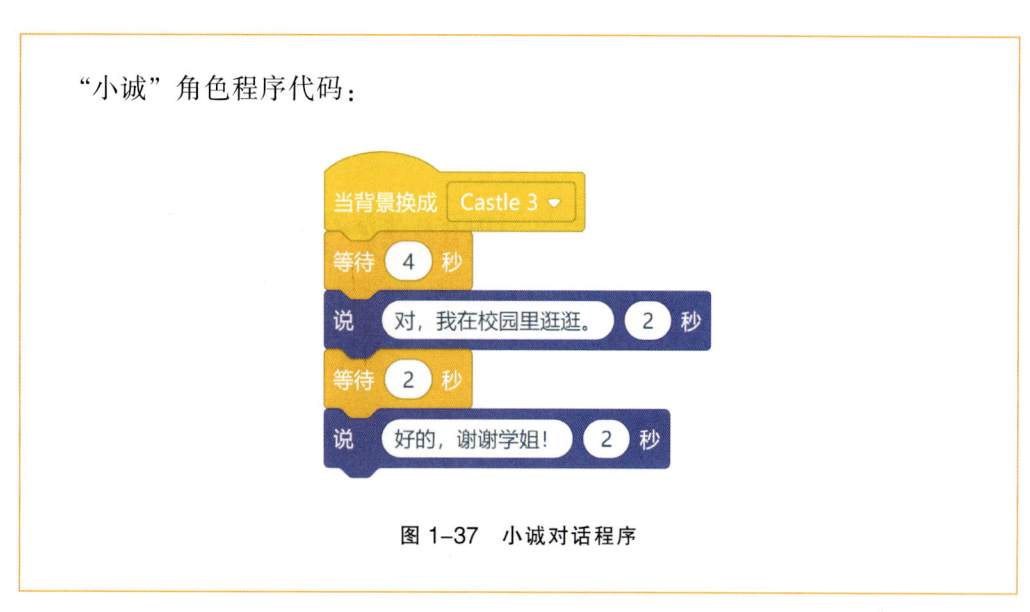

```
当背景换成 Castle 3
等待 4 秒
说 对，我在校园里逛逛。 2 秒
等待 2 秒
说 好的，谢谢学姐！ 2 秒
```

图 1-37　小诚对话程序

Step4：设计进入学校其他场景的程序。

Step5：保存程序。

（二）挑战自我

小诚在校园里参观了解，刚刚只去了音乐楼，音乐楼的故事还在继续，排练厅又发生了什么？他去到其他的地方还会遇到哪些有趣的事呢？发挥你的想象，结合实际，充实一下小诚的校园漫步之旅吧！

新一代信息技术

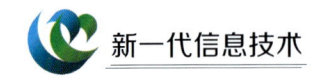

任务三　趣味数学

学习目标

1. 掌握程序设计结构中的判断结构。
2. 学会【变量】、【询问】、【判断】等模块的使用。
3. 巧解趣味数学习题，完成逻辑推理数学题。

任务描述

新学期的第一节课就是数学，即使是特别聪明的小诚也对数学课提不起兴趣，但是今天的课程却是一个数字游戏，这让小诚顿时来了兴趣，我们快随他一起走进有趣的数学课堂吧！

游戏规则

程序随机生成1~100之间的数字，在输入框中输入猜的数字，电脑会提示"猜的太大了"或是"猜的太小了"，还是"猜对了"。

任务分析

（一）解读任务

这是一个数学里非常有意思的趣味游戏。随机设置一个1至100数字，当输入所猜的数比这个数大时，提示"猜的太大了"；当输入的数比这个数小时，提示"猜的太小了"，5次以内猜中将提示成功，否则失败。我们用流程图来分析一下。

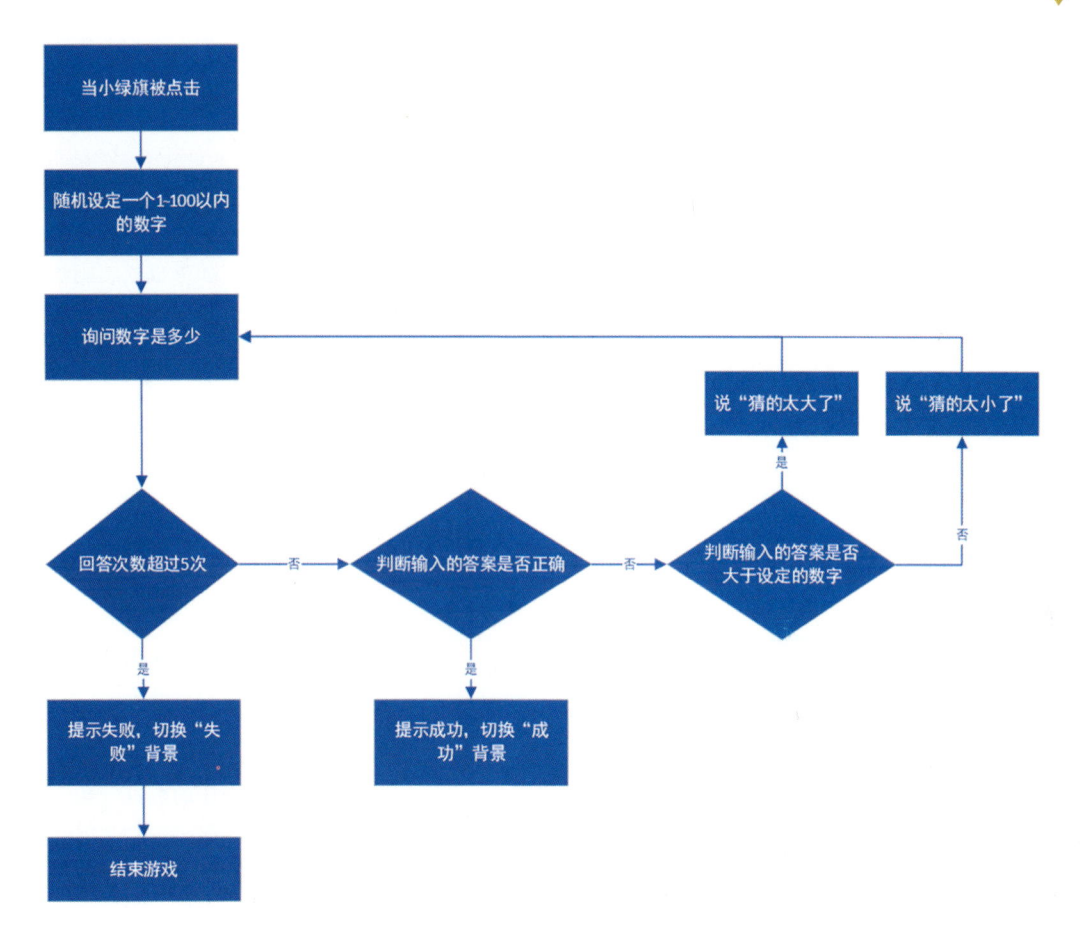

图 1-38　猜数字流程图

从流程图中可以看出程序的执行需要进行判断，满足不同的条件执行不同的命令，这是编程中非常重要的一种结构——选择结构。如同火车的两个轨道，根据不同的条件来判断在哪条轨道上行驶。

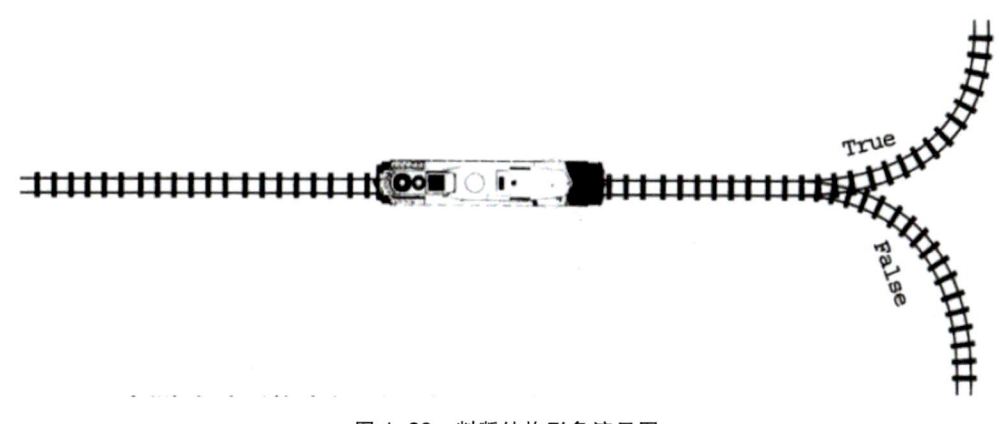

图 1-39　判断结构形象演示图

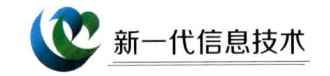

（二）相关积木学习

表 1-5 相关积木模块

积木	所属类别	功能
如果 那么	"控制"模块	检测条件是否成立，如果成立，则执行对应的脚本块
如果 那么 否则	"控制"模块	检测条件是否成立，如果成立，就执行脚本块 1；如果不成立，就执行脚本块 2
询问 What's your name? 并等待	"侦测"模块	可以设置提问的问题，在舞台上会出现对话框要求输入内容，输入的内容会存放在 回答 中
x	"变量"模块	用于存放随时都在变化的数据（数字和文本）

任务实现

我们先不考虑猜的次数问题，可以不限次数猜数字，直到猜中为止。这样问题就简单了，只需要比较所猜的数字与设定的数字的大小就可以了。

把设定的数值存放在一个变量里，变量里存放着 1~100 以内的随机数。这样每次只需要将猜测数值与"变量"比较即可。

什么是变量？

专业地讲，变量是被命名的计算机内存区域。你可以把变量想象成一个盒子，程序随时都能存放盒子中的数据（数字和文本）。下图是一个名为 side 的变量，放了一个数字 50。

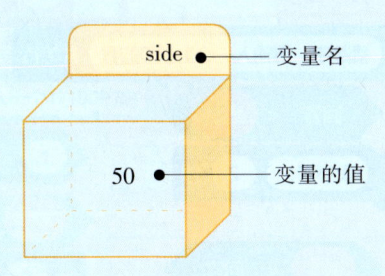

变量就像有名称的盒子，盒子中放着一个值。

当创建一个变量时，程序会开辟一块内存区域存储它，同时给这块内存区域一个变量名，创建后只需要使用变量名就可以获取并修改它的值。

了解了变量和判断语句，我们来进行程序编写吧！

Step1：新建一个变量，命名为"数字"，将"数字"变量进行赋值，赋值为一个 1~100 之间的随机数字。

Step2：询问玩家猜测的数字是多少，等待回答。

Step3：将回答与数字进行比较，判断大小，给出提示。

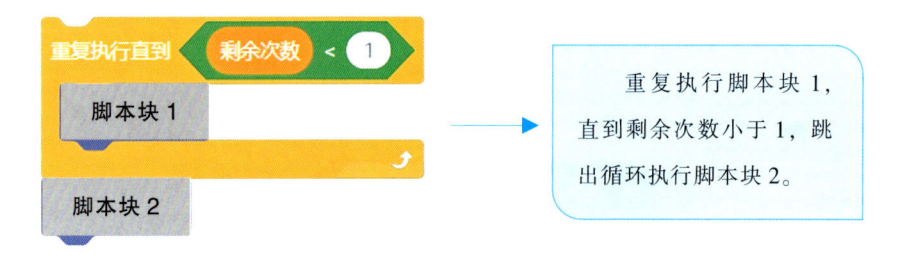

图 1-42 重复执行模块

重复执行脚本块 1，直到剩余次数小于 1，跳出循环执行脚本块 2。

参考程序：

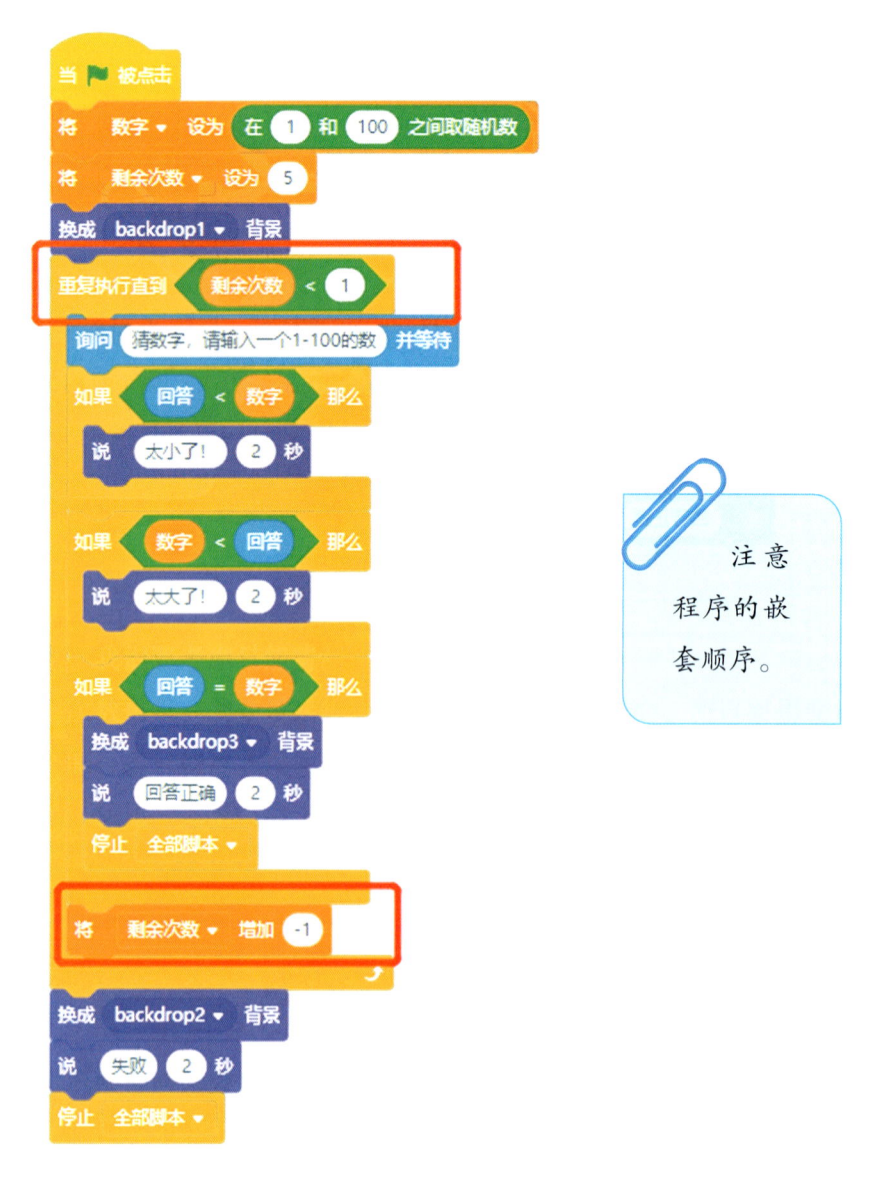

图 1-43 控制猜测次数程序 2

注意程序的嵌套顺序。

思维拓展

(一) 任务升级

1. 任务描述

这是出自明代数学家程大位《算法统宗》书中的一道算题。

> 元宵十五闹纵横,来往观灯街上行。
> 我见灯上下红光,绕三遭,数不真。
> 从头儿三数无零,五数时四瓯不尽。
> 七数时六盏不停,端的是几盏明灯。

翻译如下:

正月十五元宵节,到街上赏灯的人来来往往。

我看见一座花灯上下红光一片,围着它转3圈也数不清有几盏灯笼。

若是从顶端往下数,3盏3盏地数正好数尽,5盏5盏地数还剩4盏,7盏7盏地数还剩6盏。

请问这座花灯从头到底共有几盏灯笼?

2. 任务分析

根据题意,设这座花灯上的灯笼数量为 x,则其必须一起满足以下3个条件。

条件1:x 除以 3 的余数为 0;

条件2:x 除以 5 的余数为 4;

条件3:x 除以 7 的余数为 6。

可以从1开始列举灯笼数量,如果灯笼数量同时满足以上3个条件,则找到该问题的答案。

新一代信息技术

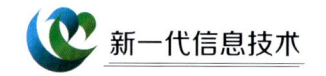

任务四　几何美学

学习目标

1. 学习 Scratch 扩展模块——画笔模块的使用。
2. 学习【画笔工具】、【图章】、【旋转模块】的使用。
3. 利用画笔绘制几何图形，并利用图案来进行艺术创作。

任务描述

美术课是小诚特别喜欢的课程，因为美术可以画出不同的图案，表达心中最美好的愿望，今天我们来和小诚一起学习一个新的功能，可以帮助我们画出更加美妙的图案。

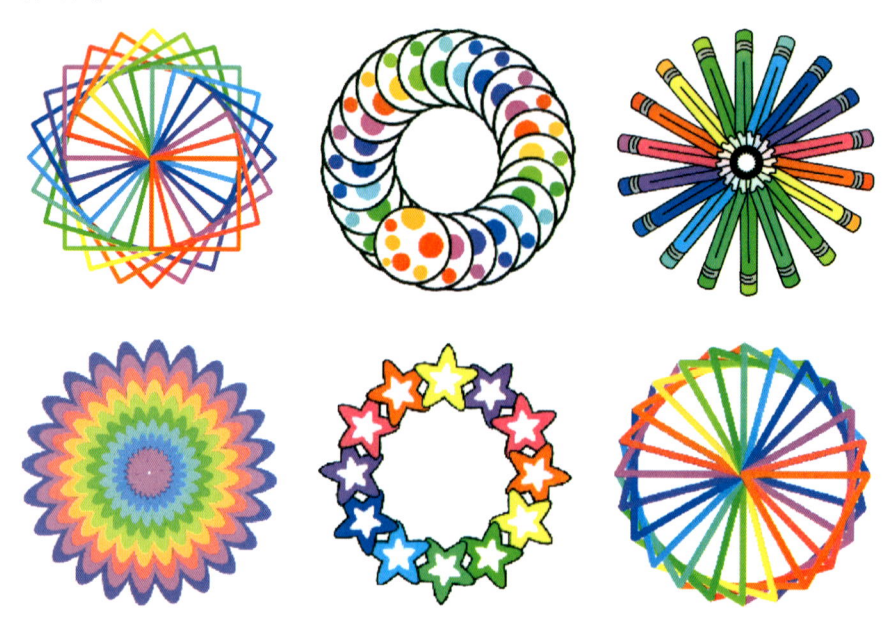

图 1-46　欣赏图案

任务分析

(一) 解读任务

通过观察，可以发现这些图形是按照一定的规律进行了排列，并且颜色绚丽多彩，从而呈现出特别美丽的效果。

要完成此项目，我们需要先做一个基础造型，比如上面的图形用到了正方形、皮球、铅笔、花瓣的造型，用这个造型来实现图形的绘制。

表 1-6 绘制模块

绘制模式	
1. 使用图章积木，直接将造型像盖章一样印在舞台上，例如，右图就可以通过将铅笔造型旋转一周"盖章"来实现。	
2. 通过画笔在舞台上进行绘制，就像我们平时在纸上画画一样，例如，右图就是通过不断画正方形的方式实现的。	

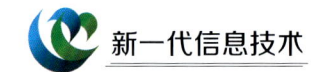

图 1-49 画笔模块

Step2：使用画笔绘制正方形。

想象一下我们在白纸上是如何画图的？要绘制一个下图左侧的正方形图案，你可能让角色依次执行如下命令：

1. 移动某个步数，向右旋转 90°；

2. 移动相同的步数，向右旋转 90°；

3. 移动相同的步数，向右旋转 90°；

4. 移动相同的步数，向右旋转 90°。

我们注意到下面的程序中重复执行了四次移动 100 步和右转 90°，这样的程序是不是显得很繁琐呢？我们可以使用重复执行指令来简化程序。

程序设计入门

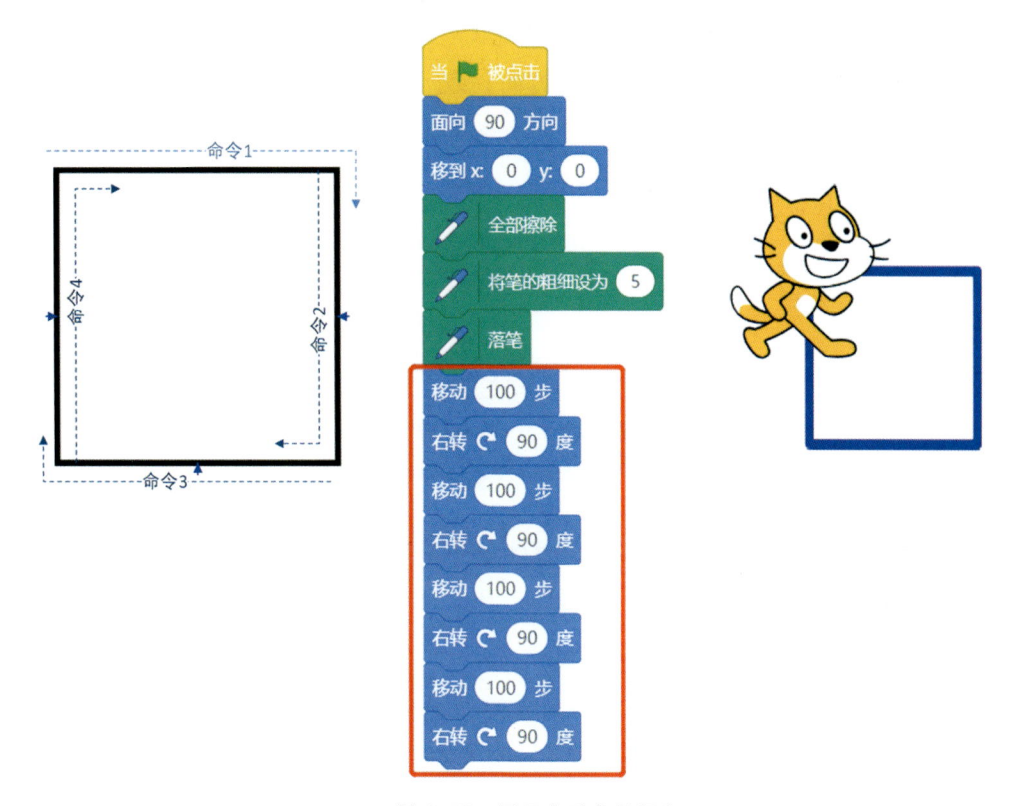

图 1-50　画正方形参考程序

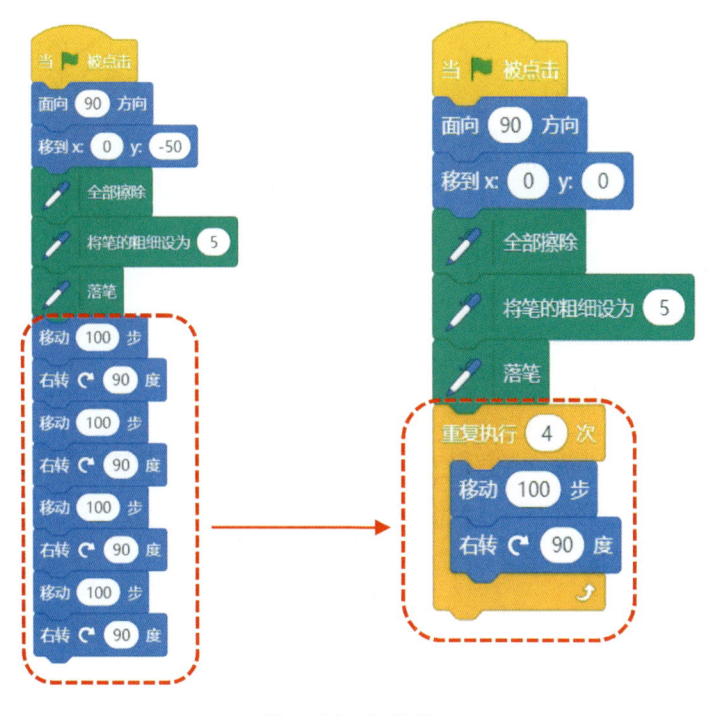

图 1-51　简化程序

43

新一代信息技术

上图中绘制的正方形的位置取决于角色最初的方向，如下图所示。同时，当正方形绘制完毕后，角色的方向和最初方向一致。

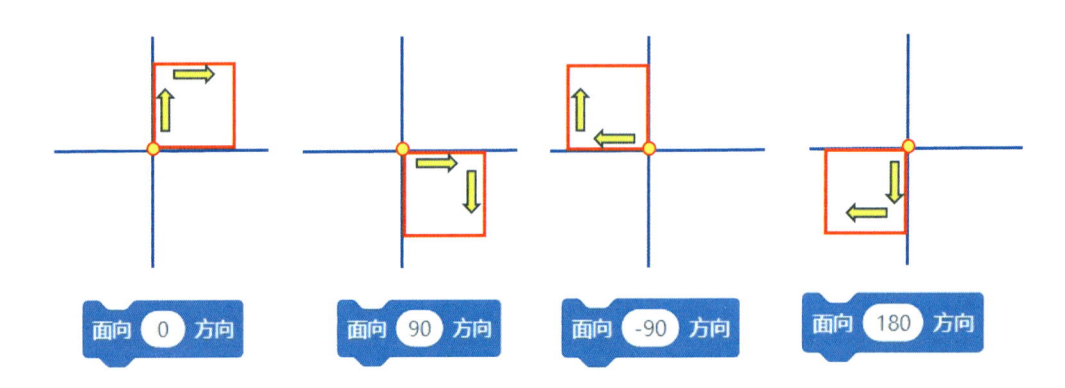

面向 0 方向　　面向 90 方向　　面向 -90 方向　　面向 180 方向

图 1-52　正方形绘制示意图

拓展提高

尝试修改程序，使其绘制多种正多边形。如下图所示，只需要替换脚本中边数即可。下图右侧图案是通过该脚本绘制的多个正多边形，你尝试写出完整程序来绘制一下吧！另外，你能想象如何绘制一个圆吗？

重复执行 边数 次
　移动 50 步
　右转 360 / 边数 度

想一想旋转的角度与边数之间有什么规律？

Step3：绘制正方形组合。

上面我们已经完成了一个正方形的绘制，想一想，如果绘制多个图形的组合，如下左图所示，是不是可以将绘制的脚本放到另一个重复执行里面，然后每绘制一个图形，就移动几步，或者旋转一定的角度，并且改变下绘制的颜色。因此，我们可以通过如下右图所示的脚本来实现正方形组合图形的绘制，在绘制时将角色隐藏。

程序设计入门

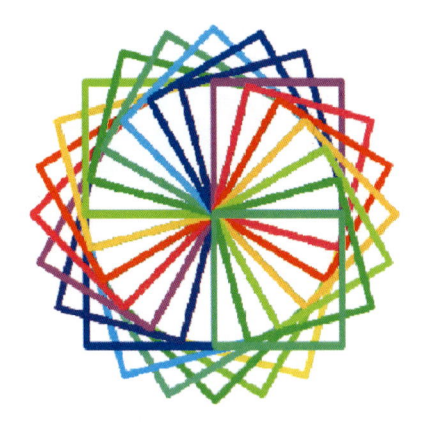

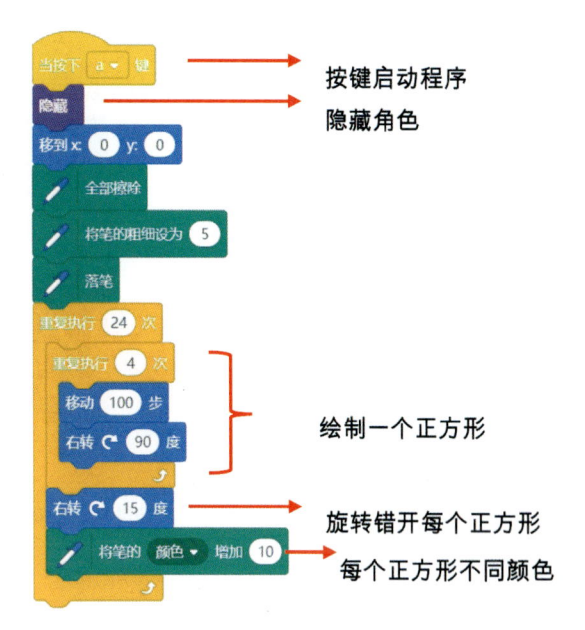

图 1-53　多个正方形

图 1-54　绘制多个正方形程序

按键启动程序
隐藏角色
绘制一个正方形
旋转错开每个正方形
每个正方形不同颜色

思维拓展

（一）任务升级

利用图章绘制图形

图章积木的工作原理

图章积木的工作原理是在舞台上会动态留下一个复本，但这个复本无法移动，也不能对其进行编程，可通过全部擦除积木进行清除。这就像盖章，拿在手上的图章就是角色，而盖在纸上的就是留下来的复本。

之前我们通过移动、旋转和重复执行，就能把简单图案（如正方形）变成复杂图案，但如果我们要旋转的不是简单图案而是复杂图案呢？之前的做法是不是就不可行了呢？复杂图案我们可以通过在绘图编辑器中绘制得到，或者直接选择使用现有的角色，然后使用图章积木在舞台上不断地复制。我们来动手绘制一朵美丽的小花吧！

45

在绘图编辑器中绘制花瓣。**注意设置造型的中心位置。**

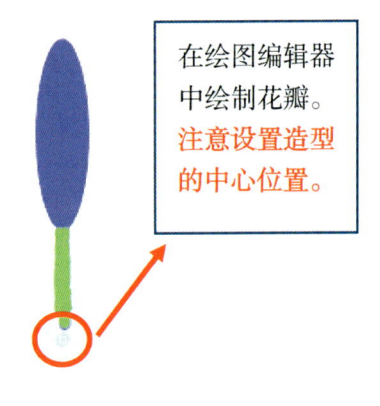

图1-55　绘制花朵

> **注意**：每个造型都有中心点，角色是围绕这个中心点来旋转的，也是用来判断该角色在舞台上的精确位置。通过观察会发现在画布中有一个十字标志，该标志有可能被造型遮挡，这就是造型的中心点。可以通过设置造型与中心点的距离来实现不同的旋转效果。

(二) 挑战自我

练习1：尝试使用鼠标来控制绘画的起始位置。

练习2：尝试使用询问模块来询问边数，让程序可以根据"回答"的数值来绘制正多边形。

任务五 动态时钟

学习目标

1. 学会多个角色间的相互通讯。
2. 学习【系统时间模块】、【数学运算符】、【角色大小调整】等模块的使用。
3. 利用编程自制时钟,并进行创意设计。

任务描述

小诚今天迟到了,因为家里的闹钟坏掉了……不能掌握时间就不能正常的学习,不会管理时间,就很难做到有效的学习。好吧,让我们和小诚一起制作一款精准而美观的时钟,让生活和学习都变得可控而有效吧~

钟表是我们生活中必不可少的日常用品之一。钟表的种类很多,有座钟、摆钟、挂钟、机械表、石英表等。钟表的造型也是千形百状。本节课我们将使用 Scratch 制作一个可实时校对时间的动态时钟!

图 1-56 时钟效果图

任务分析

（一）解读任务

时钟要实现行走，首先要了解时钟行走的原理，秒针、分针、时针都是以钟面的圆心位置为中心，向顺时针方向行走，秒针行走一圈为60秒（一分钟），从而带动分针行走，分针行走一圈60分钟，为一小时，从而带动时针行走，一整天一共是24小时（为了方便制作，我们采用12小时制）。

我们都以秒为单位来考虑秒针、分针和时针的转动规律。

秒针→每1秒转1格旋转6度

分针→每60秒转1格旋转6度

时针→每3600秒转1格旋转6度

看到这里，你想到要怎样利用程序来完成时钟的制作了吗？

（二）相关积木学习

表1-8　相关积木模块

积木	所属类别	功能
将大小设为 60	"外观"模块	将角色的大小设定为原始尺寸的百分比
当前时间的 年▼	"侦测"模块	获取系统当前时间，可获取当前的年、月、日、星期、时、分、秒信息

任务实现

Step1：创建背景。

选用纯色背景，在背景写入校对时间的操作方法。

　　　　点击小绿旗后开始校对时间
　　　　　　按←：调整秒针
　　　　　　按→：调整分针
　　　　　　按↓：调整时针
　　　　按下空格键后开始走针

图1-57

Step2：创建角色。

（1）制作钟面。钟面可以从网络素材中下载并导入，也可以自己在绘图编辑器中绘制。注意调整时钟的中心点位置。

图 1-58 时钟表盘

（2）制作秒针、分针、时针角色。在绘图编辑器中利用画笔绘制角色，以分针为例。

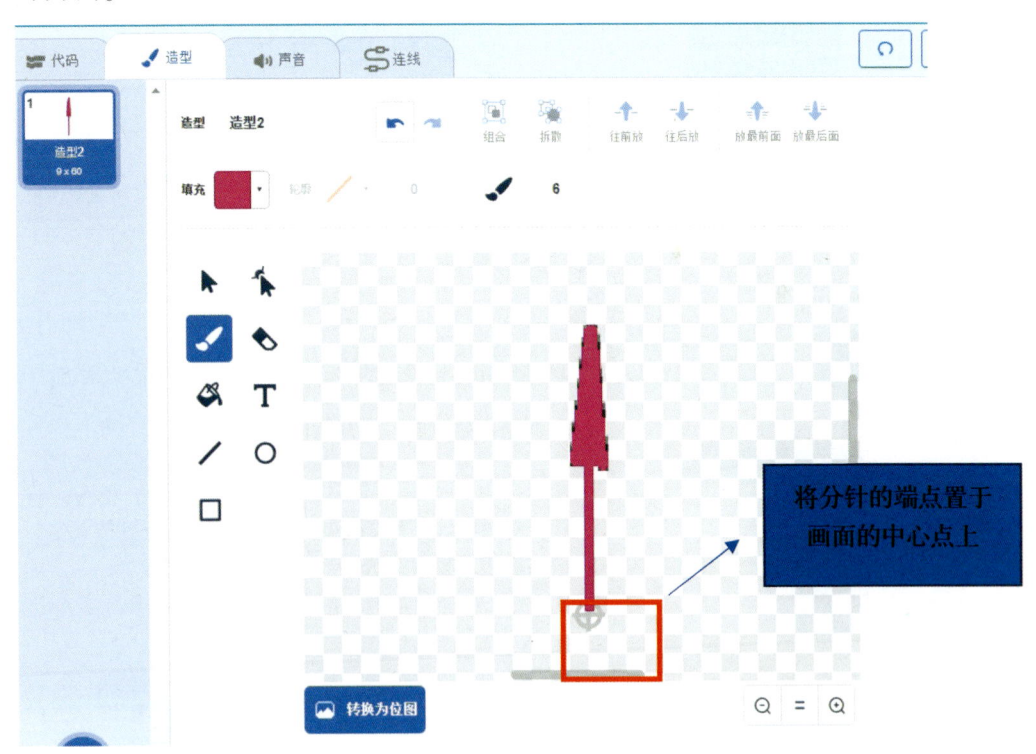

图 1-59 绘制分针

Step3：编写脚本。

我们先来考虑如何校对时钟。不同于生活中的时钟通过机械机构实现分随秒动，时随分动。在 Scratch 中，秒针、分针、时针是三个角色，要单独进行设定。

新一代信息技术

可以通过按下不同的键盘键来调节指针的角度，以秒针为例来进行校对。

图 1-60 校对秒针流程图

图 1-61 校对秒针参考程序

提示

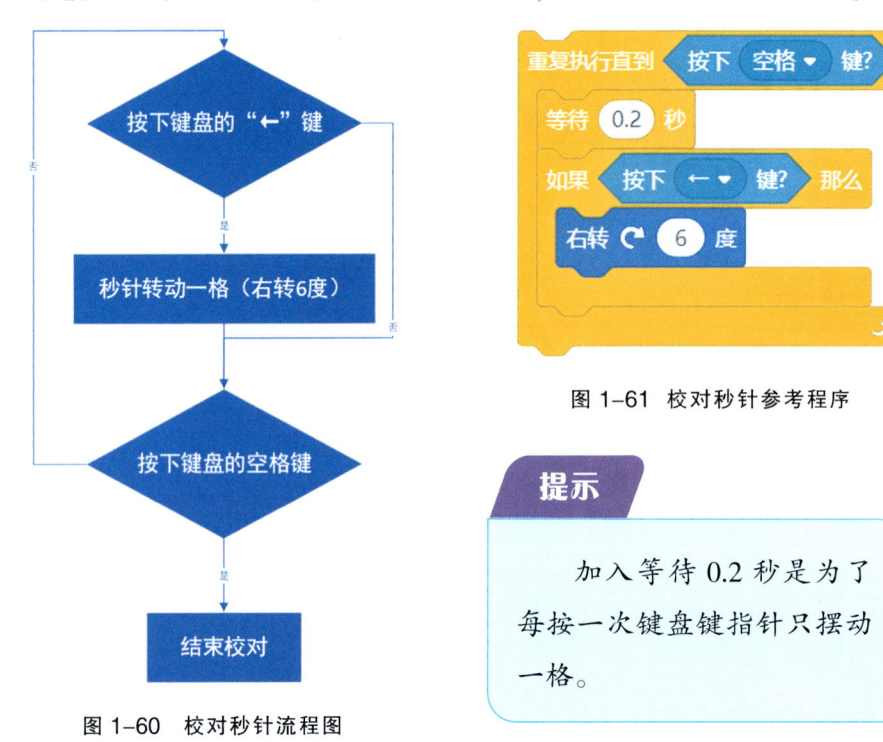

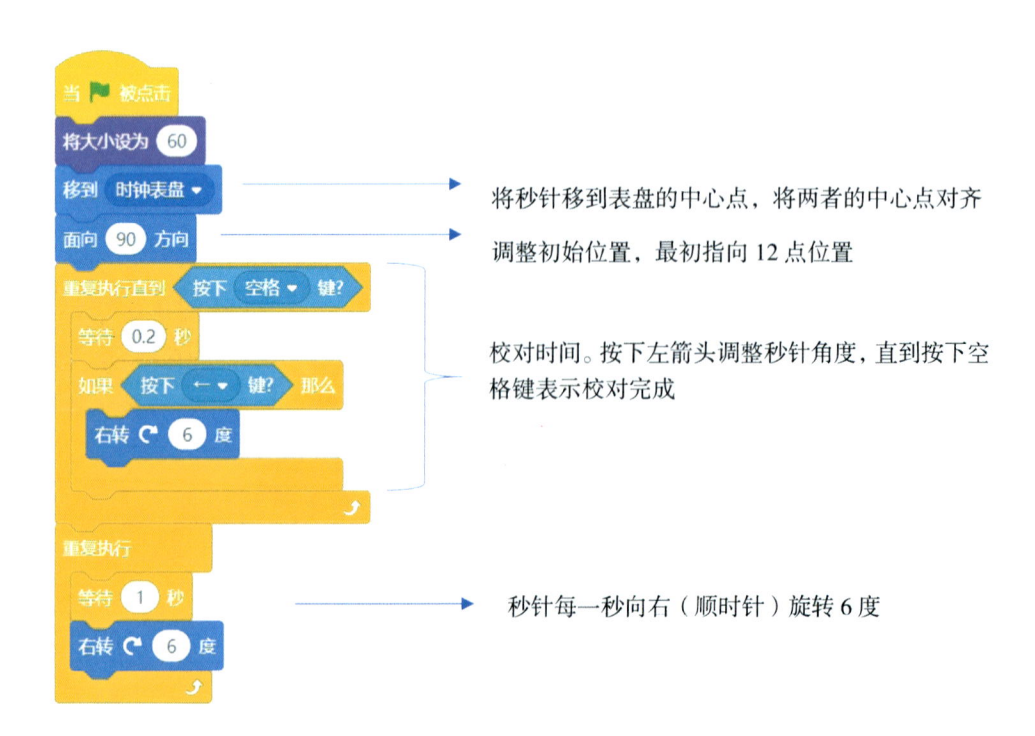

加入等待 0.2 秒是为了每按一次键盘键指针只摆动一格。

将秒针移到表盘的中心点，将两者的中心点对齐
调整初始位置，最初指向 12 点位置

校对时间。按下左箭头调整秒针角度，直到按下空格键表示校对完成

秒针每一秒向右（顺时针）旋转 6 度

图 1-62 秒针的完整参考脚本

程序设计入门

→ 将分针移到表盘的中心点，将两者的中心点对齐
调整初始位置，最初指向 12 点位置

→ 校对时间。按下下箭头调整秒针角度，直到按下空格键表示校对完成

→ 分针每 60 秒向右（顺时针）旋转 6 度

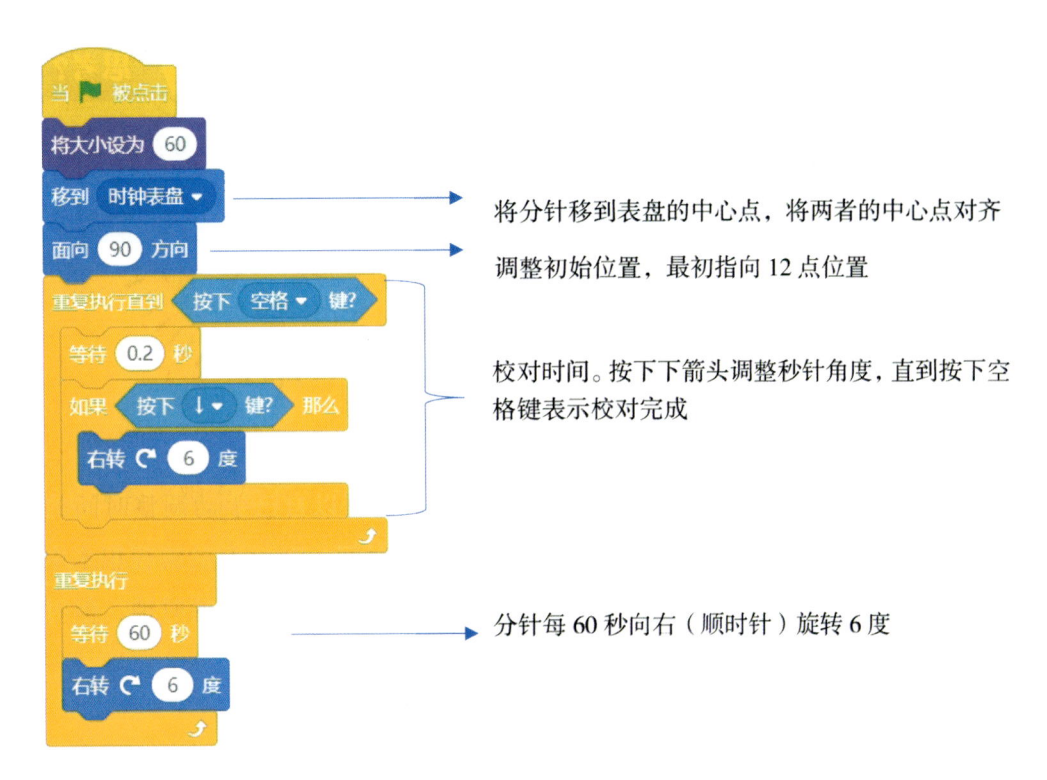

图 1-63　分针的完整参考脚本

→ 将时针移到表盘的中心点，将两者的中心点对齐
调整初始位置，最初指向 12 点位置

→ 校对时间。按下右箭头调整秒针角度，直到按下空格键表示校对完成

→ 时针每 3600 秒向右（顺时针）旋转 6 度

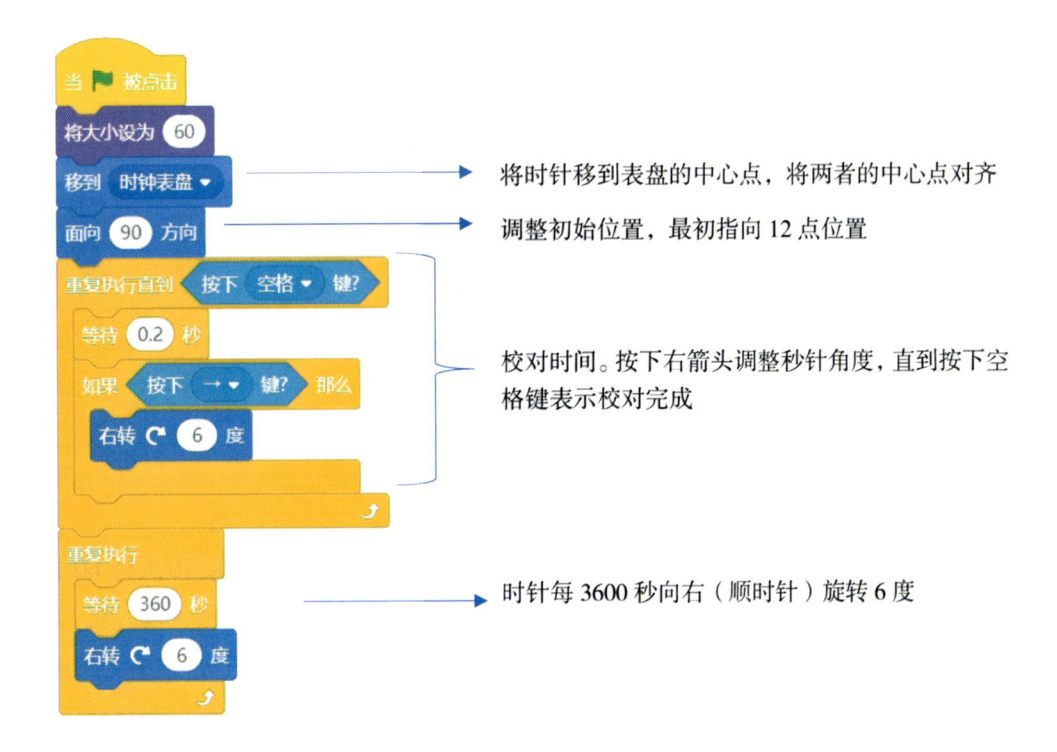

图 1-64　时针的完整参考脚本

51

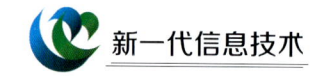

角度与时间的对应关系是：角度=当前时间（秒/分）×6

图 1-68　秒针脚本　　　　　　　图 1-69　分针脚本

② 时针

时针转动一圈为 12 小时，每一小时时针转动的角度为 360/12=30 度，可以通过脚本 `面向 当前时间的 时 * 30 方向` 来设置时针的角度。但是这样时针只能指向整点，不符合现实中时针转动的规律。事实上时针随分针转动，每分钟都会转动一定的角度，那么每 1 分钟，时针旋转的角度是多少呢？

一小时内，时针每分钟旋转角度 = "分" × (30/60)，实现的脚本如下：

图 1-70　时针脚本

当然，我们也可以使用数字来显示时间，将系统时间存放在变量中，利用变量来显示时间的值。实现方法如下：

图 1-71 数字时钟

(二) 挑战自我

练习1：为时钟加入整点报时功能。

练习2：添加闹钟功能。

任务六　循迹小车

学习目标

1. 掌握侦测模块颜色识别的运用。
2. 通过编程实现小车循线前进。
3. 通过编程实现小车避障走迷宫。

任务描述

小诚有了闹钟之后，生活又变得井井有条了，这时他却发现现实生活中到处都是更加高端的时钟，比如语音播报的闹钟、可以定时提醒的闹钟、夜晚自动亮灯的时钟……老师告诉小诚，现在正在进入人工智能的时代，视觉追踪、语音播报、工业分拣以及智能机器人都进入了人类的生活。

在现实生活中，蚂蚁会沿着地上放有糖的路线行走，警犬和搜救犬会追寻气味搜寻目标，地铁和火车会沿着既定的轨道行驶。人工智能就是使用机器完成人类或动物的动作分析，例如：沿着既定的路线行走，就是机器人小车的基本功能之一。一个智能机器人可以按照需要，通过自动分析处理选择行驶的路线。

在本节课中，将设计一个可以沿固定路线行驶的循迹小车。

任务分析

（一）解读任务

小车要实现循线功能需要为小车安装循线（模拟灰度）传感器，传感器数量可以为1个，也可以为多个，随着传感器的增多，小车的运行也会更加平稳。

真实的机器人智能小车一般在画有黑线的白纸路面上行驶，由于黑线和白纸对光线的反射系数不同，可根据接收到的反射光的强弱来判断道路黑线。

> **知识链接**
>
> ### 红外探测法
>
> 在智能小车循线中，相对简单、应用也比较普遍的检测方法为红外探测法。
>
> 红外探测法，即利用红外线在不同颜色的物理表面具有不同的反射性质的特点。在小车行驶过程中不断地向地面发射红外光，当红外光遇到白色地面时发生漫发射反射光被装在小车上的接收管接收；如果遇到黑线则红外光被吸收，则小车上的接收管接收不到信号。

在Scratch中，我们以不同颜色的积木块来模拟循线传感器，这里我们以3个传感器为例：

(a) 如果小车中间循线传感器（黄色）检测到黑线，直行

(b) 如果小车左循线传感器（绿色）检测到黑线，左转

(c) 如果小车右循线传感器（蓝色）检测到黑线，右转

(d) 如果小车所有的循线传感器都没检测到黑线，直行

图 1-72

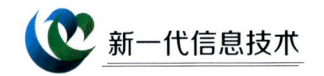

（二）相关积木学习

表 1-9　相关积木模块

积木	所属类别	功能
碰到颜色 ● ?	"侦测"模块	检测角色是否碰到了设定的颜色
颜色 ● 碰到 ● ?	"侦测"模块	检测角色中的某一颜色（即角色的边框线颜色）是否碰到了设定的颜色

任务实现

基础任务：小车沿固定路线行走

通过颜色识别让小车沿某一颜色路线行走。

Step1：绘制小车角色与场地地图。

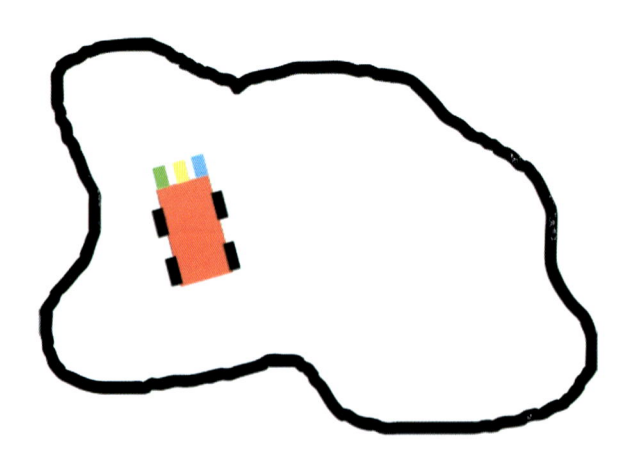

图 1-73　角色与背景

Step2：对小车进行编程。

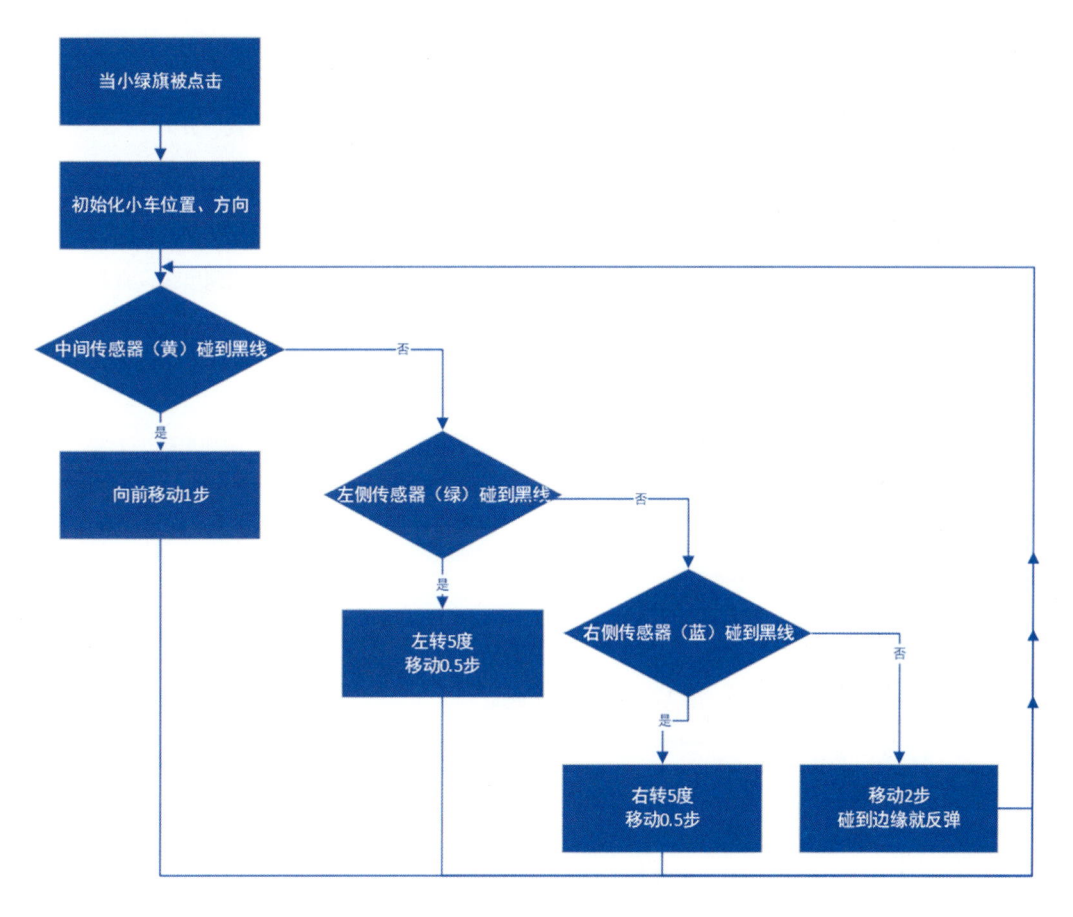

图 1-74　小车避障分析流程图

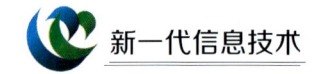

参考脚本：

初始化小车位置、方向

中间传感器检测到黑线，直行

左侧传感器检测到黑线，左转

右侧传感器检测到黑线，右转

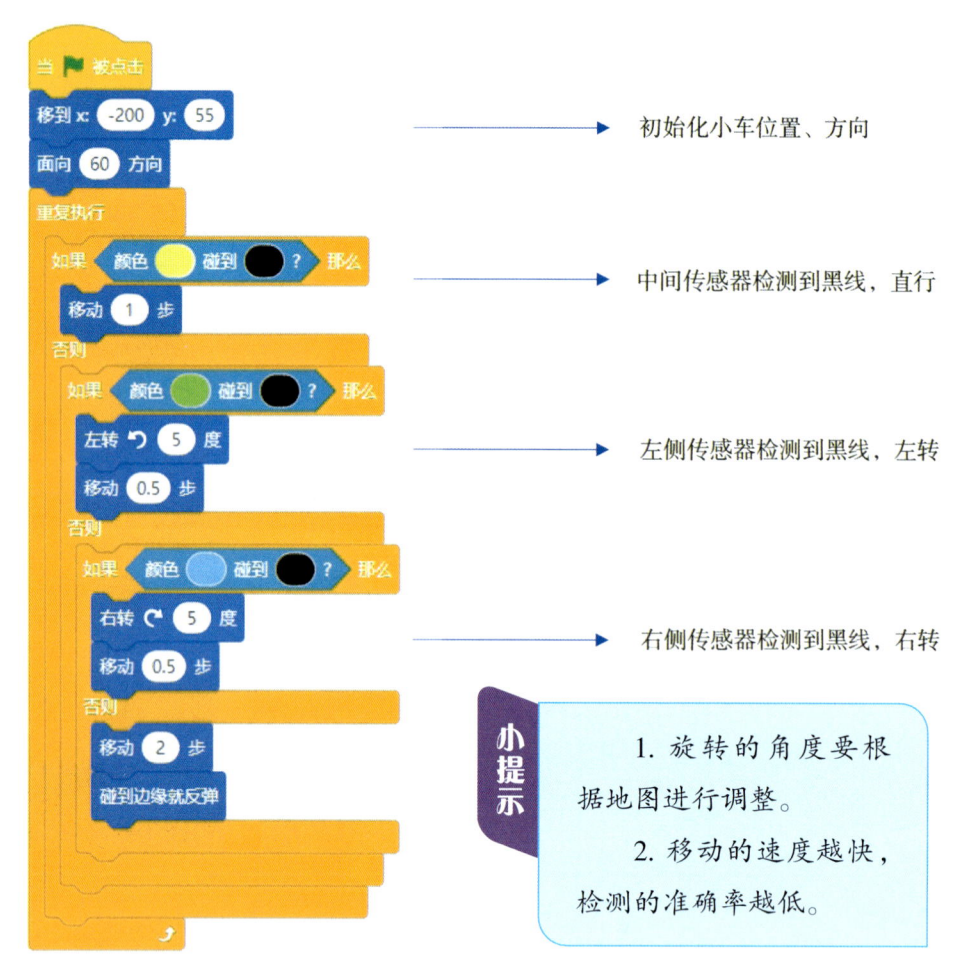

小提示

1. 旋转的角度要根据地图进行调整。
2. 移动的速度越快，检测的准确率越低。

图1-75 小车避障参考程序

拓展提高

1. 循线小车的更多玩法：绘制多个不同形状的地图，按空格键切换地图。

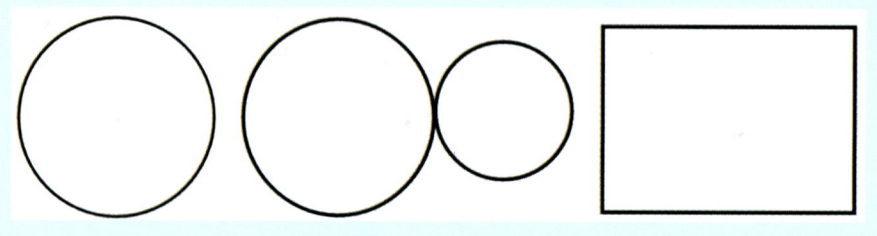

图1-76 不同形状的地图

2. 尝试使用2个或4个传感器来循线。

> 注意：
> 1. 小车在不同地图中行进旋转角度和移动速度会有差异。
> 2. 现实生活中小车运行要考虑地面摩擦力。

思维拓展

（一）任务升级：小车走迷宫

常见的迷宫图如下：

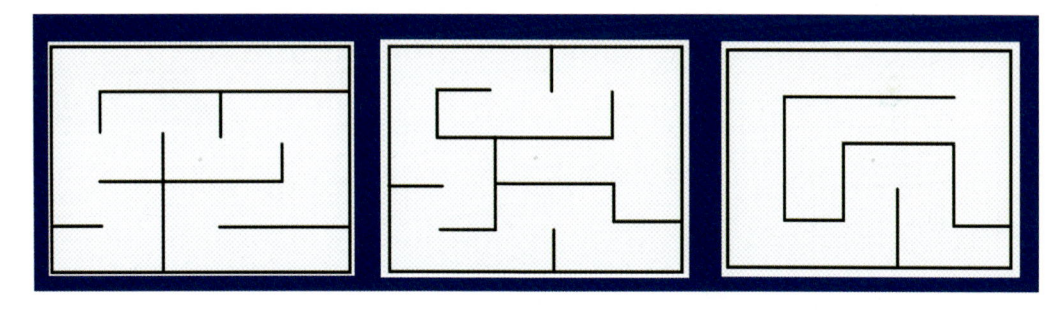

图 1-77　常见迷宫

观察上面几幅图，不难发现，让机器人沿迷宫围墙的某一侧行走可以使机器人走遍没有出口迷宫的每个地方，这是走迷宫的一般方法，我们称沿左侧行走的方法为左手规则，称沿右侧行走的方法为右手规则。

在本项目中，我们将采用左手规则实施走迷宫的任务。假定你自己在一个漆黑的迷宫场地中按左手规则行走，你一定会用左手去寻找你左侧的墙壁，以确定前进的方向，用右手伸向前方以防备在前进的过程中撞到前方拐弯处的墙上。因为场地漆黑你会根据两手获得的墙壁触摸信息做出以下四种判断：

1. 当左手和伸向前方的右手都摸不到墙壁时，向左转弯；
2. 当左手摸不到墙壁，伸向前方的右手摸到墙壁时，向右转弯；
3. 当左手和伸向前方的右手都摸到墙壁时向右转弯；
4. 当左手摸到墙壁，伸向前方的右手摸不到墙壁时，直走。

在让机器人走迷宫时，我们可以用机器人的触碰传感器来代替我们的左右手，以获取行进方向的信息，并对获取的触碰信息做出判断，以此来决定行走的动作。走迷宫的机器人至少需要两个触碰传感器，分别置于机器人左、中或者

新一代信息技术

右、中。机器人可以使用灰度传感器判断是否回到终点。

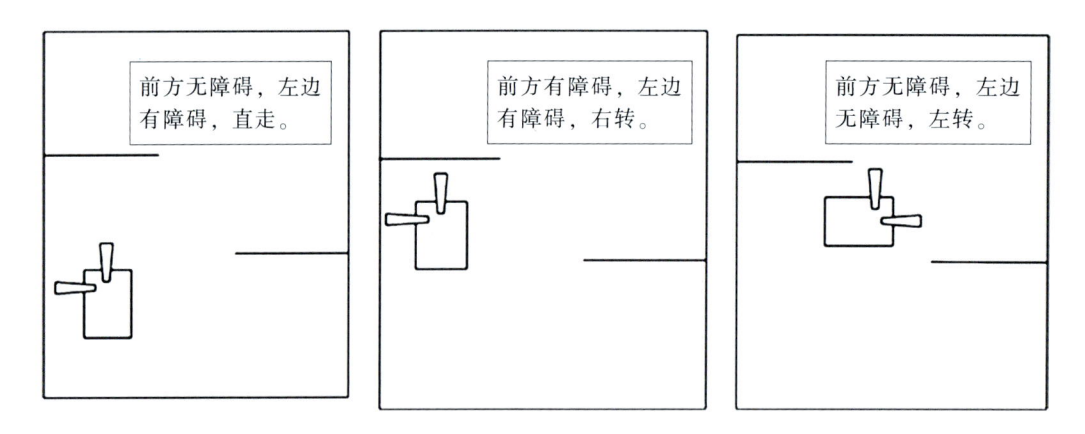

| 前方无障碍，左边有障碍，直走。 | 前方有障碍，左边有障碍，右转。 | 前方无障碍，左边无障碍，左转。 |

图1-78　左手规则示意图

思考？

走迷宫过程中，小车左侧有传感器，当左转时能顺利转弯吗？该如何解决呢？

提示

根据小车的车头方向，强制将小车的X坐标或者Y坐标进行增减。

（二）挑战自我

尝试为小车设置路障，模拟超声波传感器、数字防跌落传感器等，让你的小车一路过关斩将吧！

结语：

小诚非常开心，现在的他不仅运动和学习都很棒，而且学会了在基础课中找到乐趣、学会了自己解决生活中的问题，也看到了科技的力量，现在他正开始向着一个更加全面、积极的方向前进，同学们，你们呢？

人工智能初步

引 言

随着科学技术的高速发展，智能化的应用越来越普及。无论是身在课堂的莘莘学子还是已经步入社会的职业人员，身边都伴随着人工智能的身影；无论是在生活、工作还是娱乐等方面，都能够看到基于人工智能的智能化应用。科技发展至今，我们可以深深地感受到智能化时代已经来临，而人工智能技术也日趋成熟。

一、人工智能的发展历史

人工智能技术是人类智慧发展的结晶，是研究、开发用于模拟、延伸和扩展人的智能的理论、方法、技术及应用系统的一门新的科学技术。简单来说，人工智能是一种用机器来做和人相同的事的科学技术。

自20世纪50年代起，人工智能发展至今，先后经历过两次发展高潮期，两次低谷期。而现在人工智能的发展正处在第三次发展高潮期。

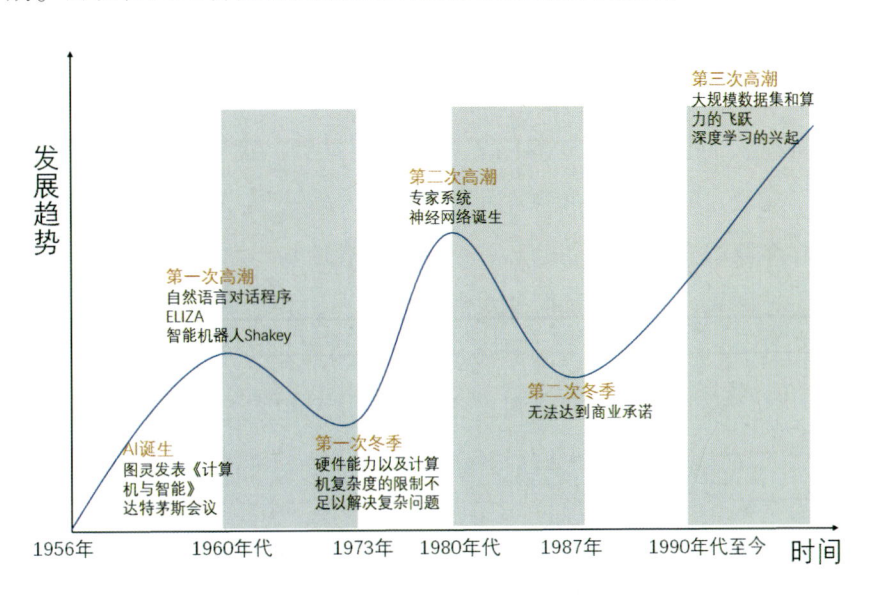

图 2-1 人工智能的低谷和高潮

新一代信息技术

1950年通常被认为是人工智能元年，在这一年英国数学家艾伦·麦席森·图灵（Alan Mathison Turing）发表了文章"计算机器与智能"，给出了一种测试机器是否有智能的方法，即大名鼎鼎的图灵测试，为人工智能的发展指明了方向。在1956年夏天，达特茅斯学院组织了一个为期两个月的研讨会，会议上首次提出了"人工智能"这一术语，标志了人工智能的正式诞生。

图2-2 达特茅斯会议参与者

随后，人工智能便迎来了发展中的第一个春天，专家们基于图灵测试理论，研发了各种人工智能技术。在1966年，麻省理工学院的约瑟夫·维森鲍姆（Joseph Weizenbaum）发表了一篇题为《ELIZA，一个研究人机自然语言交流的计算机程序》的文章，实现了人类历史上第一个实现自然语言对话程序——ELIZA；之后在1968年，由美国斯坦福研究所发明的机器人Shakey诞生，它能够通过视觉传感器根据人的指令找到并抓取积木，这是世界上第一台智能机器人。但是，人们很快发现受当时计算机自身性能的限制，早期的这些人工智能在尝试解决更复杂问题时都遭遇了困难，于是人工智能的发展进入了瓶颈期。

虽然幻想破灭，但科学家们并没有停止对人工智能的研究。随着计算机性能的提高，80年代初期诞生的专家系统成功商用，产业的发展造就了人工智能的第二个春天。伴随着当时的研究热潮，各国政府也纷纷参与进来，开始在人工智能项目上进行大规模投资，其中比较有名的例如日本经济产业省投资了八亿五千万美元资金的"第五代计算机项目"。但是好景不长，由于Apple、IBM等公司生产的台式机性能的提升，专家系统的市场需求急剧下降；同时，专家系统存在维护费用较高、升级困难等问题，人工智能的研究与发展便再次进入低谷期。

图 2-3　ELIZA 程序　　　　　　　　图 2-4　Shakey 机器人

来到 20 世纪 90 年代，让计算机自己学习的方法成为主流，人工智能迎来了它的第三个春天。1997 年，计算机系统"深蓝"与国际象棋世界冠军卡斯帕罗夫一战而成名。2006 年，Hinton 和他的学生将深度学习带进大众的视野，导致了人工智能爆发式的发展，诞生了各种各样人工智能技术应用。2014 年，微软发布了全球第一款个人智能助理——微软小娜；同年，亚马逊发布了至今最成功的智能音响产品——Echo；2016 年，AlphaGo 在围棋领域以 4∶1 战胜围棋冠军李世乭；紧接着，在 2017 年又以 3∶0 战胜了世界排名第一的围棋冠军柯洁。这一系列的惊人成就，引起了业界人士对人工智能的再次广泛的关注，人工智能的发展再一次成为了人类关注的焦点。

图 2-5　深蓝计算机　　　　　　　　图 2-6　阿尔法围棋

二、人工智能关键技术

人工智能技术发展至今，涌现出了大批的关键技术，参考《人工智能标准化

图 2-8　智能安防　　　　　　　　　　　图 2-9　智慧医疗

　　在智慧医疗方面，结合人工智能技术，可以根据就诊患者的资料信息进行早期异常症状的检测，做到早诊断早治疗；同时，智能机器人可以帮助医生实现对手术位置的准确定位，还能根据患者就诊的数据提醒患者平时生活饮食中需要注意的事项。

　　在智能交通方面，人工智能技术被应用于交通监控系统中，在道路、车辆和驾驶员之间建立快速通讯联系，便于驾驶员和交通管理人员实时得知交通道路状况。另外，自动驾驶技术也是智能交通场景的一个重要应用。

　　在智能制造方面，工业机器人、自动机械臂等是比较常见的应用。智能化的机器运作方式可以在很大程度上代替人工劳动力，为企业节约时间和成本。

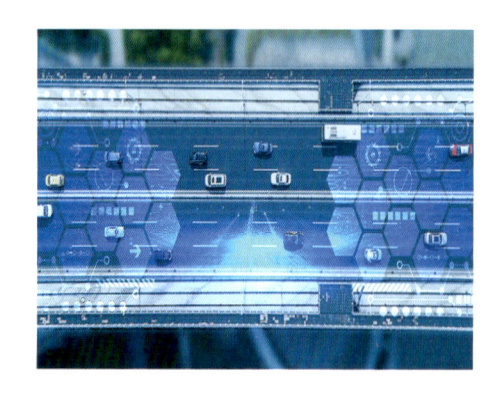

图 2-10　智能交通　　　　　　　　　　　图 2-11　智能制造

拓展阅读

在智能化的时代，不仅工业中机器人越来越常见，在生活中也会经常见到它们的身影。机器人不仅是一个物体，更是一门科学技术。

1962年美国诞生了世界上第一台智能机器人。随后，德国和日本也开始了机器人的研究，取得了突破性的成就。我国的工业机器人研发始于20世纪70年代初，到目前为止，先后经历了三个阶段。第一阶段是以固定程序工作的机器人，第二阶段是感知机器人，第三阶段是智能机器人。同时，机器人的应用也由刚一开始在工厂进行简单机械操作，发展到后来通过传感器进行自动化操作，再到现在具有识别、推理、学习等更智能的机制。随着机器人越来越智能化，其应用领域也越来越多元化。

工业机器人 　　　　军用机器人 　　　　水下机器人

服务机器人 　　　　农业机器人 　　　　做饭机器人

新一代信息技术

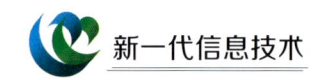

任务一　智能语音——语音助手

学习目标

1. 体验简单的人机交互。
2. 实现智能语音助手播报天气功能。
3. 理解自然语言处理技术。
4. 培养学生的编程能力和逻辑思维能力。

任务描述

小诚这周末要和同学们参加户外活动，选定地点的任务交给了小诚。由于最近从互联网上学习了一些人工智能的知识，小诚打算根据地方的天气情况来做决定，并搭建一个语音助手来帮助他解决这个问题。

任务分析

通过对语音交互方面的学习，小诚同学了解到一个语音助手主要包括语音识别、自然语言处理、语音合成三部分。其中，语音识别主要是指将语音信号转换为文本字符的形式，让计算机接收人说话的内容。自然语言处理是指将语音识别识别出的内容通过相应的处理进行理解，重在对内容的语义理解，即让计算机理解人说的话。语音合成是指如何将计算机理解的内容，以声音的形式播报出来。

考虑到自身的能力有限，他打算通过可视化编程的方式，即选用Kittenblock软件来实现这一功能。同时由于他身边也没有能够接收声音的设备，他打算以简单的文字输入的形式来代替语音识别的部分，所以，最开始时他只实现了语音合成部分。之后为了让语音助手更智能，在思维拓展模块他添加了基于规则逻辑的自然语言处理技术。经过简单的分析，开始的语音助手原理图如下：

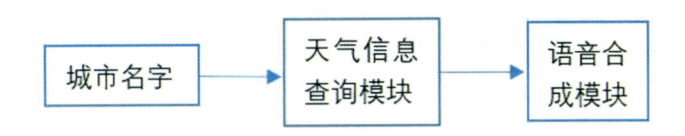

图 2-12 原理图

通过与计算机进行交互，将想要查询的城市名字输入到计算机中，计算机通过天气信息查询模块，进行天气信息情况的查询；该模块根据城市名字查询到天气信息以后，将查询的结果返回给计算机，计算机通过语音合成模块，将文字信息转换为语音信息，并播报出来。此任务可以细分为以下几步：

第一步：获取城市名字；
第二步：查询城市的天气信息；
第三步：获得城市的天气信息；
第四步：语音合成播报天气信息。

任务实现

1. 获取城市名字

通过模拟人机对话，进行询问的形式，来获取天气的信息，如图 2-13 所示。

图 2-13 获取城市名字

图 2-13 中各部分的具体解释如下：

表 2-1 获取城市名字模块解析

模块	作用
当按下 空格 键	当按下空格键的时候，程序开始执行。
使用 中音 嗓音 将朗读语言设置为 Chinese (Mandarin) 朗读 请问，您想知道哪个城市的天气？	选择朗读的声音； 设置朗读的语言； 朗读执行的内容。
询问 请问，您想知道哪个城市的天气？ 并等待	询问内容，并将输入的内容放在"回答"里面。

该模块的主要作用是当按下"空格键"之后，便调用朗读模块，设置好的声音类型和语言类型，设定要朗读的内容，该模块通过语音合成技术将文字转换成声音，播报出来。

拓展阅读

语音合成技术目前的发展水平已经相对较成熟。传统的语音合成技术主要分为前端和后端两个处理模块，前端主要包括对文本的处理，即文本正则化、分词、词性预测、多音字消歧等；后端主要是根据前端的处理结果，通过一定的方法生成对应的语音波形。而生成语音波形的方法一般分为基于统计参数建模的语音合成方法，以及基于拼接合成的方法。但是由于传统的语音合成技术较为复杂，并且存在声音表现力不理想，人工介入较多的问题，一种端到端的语音合成技术由此逐渐发展起来。端到端的语音合成系统主要是指直接输入文本内容，便能输出音频波形的系统。现阶段随着深度学习技术的不断发展，基于深度学习的语音合成技术也在不断发展，常见的有WaveNet、DeepVoice、Tacotron等。

2. 查询城市的天气信息

查询城市的天气信息主要通过下图 2-14 实现的。主要是通过加载"和风天气"模块来实现的，"和风天气"模块的加载方式是将给定的资源包中的 s3exthfweather 文件放在该软件安装目录下的 extensions 文件夹中，然后重启 Kitten-block 软件即可。通过下面的积木块，根据城市名字和时间信息，借助网络，从特定的网址上获取城市在该时间的天气信息。

图 2-14　查询城市的天气信息

3. 提取城市的天气信息

在通过第二步查询到天气信息以后，还需要借助图 2-15 的积木块获取查询到的结果。

图 2-15　提取天气信息

当调用该积木的时候，会将查询到的温度、湿度、天气状况以及降水量等天气信息返回，保存在"和风天气模块"对应的温度、湿度、天气状况以及降水量的变量中。

4. 语音合成播报天气信息

语音合成播报信息主要是通过"说"代码块实现的。在介绍语音播报之前，需要先了解如何实现字符串的连接：我们定义了一个名为 sentence 的变量；如果想实现 sentence = "烟台今天的天气情况是 x，温度是 y"，可用如下语句实现：

图 2-16　字符串连接举例

> **思考?**
>
> 那如果实现 sentence = "烟台今天的天气是 x，温度是 y，湿度是 z，降水量是 w"，又该如何做呢？该部分可以请同学们自行实现。

新一代信息技术

在了解了字符串连接之后，语音播报天气信息模块如下：

图 2-17　语音播报模块

该部分的作用是将获取到的天气信息串接在一起，首先通过小猫角色语言框显示，再通过语音播报的方式将得到的天气信息播报出来。

思维拓展

1. 任务升级

最初版本的语音助手只接受城市的名字作为输入，例如"烟台"、"青岛"等，小诚觉得还不是很智能。他想要只输入一句含有城市名字的句子，就能播报该城市的天气信息。于是他使用早期的基于规则逻辑的自然语言处理技术，实现了这一功能。

（1）任务分析

Step1：创建城市列表，添加尽可能多的城市名字；

Step2：提取关键词；

Step3：语音合成，播报所获取城市的天气信息。

（2）任务执行

Step1：添加城市列表。创建一个列表将城市的名字添加进去，由于这里仅添加了这七个城市的名字，所以目前只能查询这七个城市的天气信息。如果想查询更多的城市，需要在列表中添加新的城市名字。

图 2-18　添加城市信息

Step2：提取关键词。关键词提取帮助我们从句子中找出城市的名字，其实现如下。同时，根据得到的城市名字，进行天气信息查询。

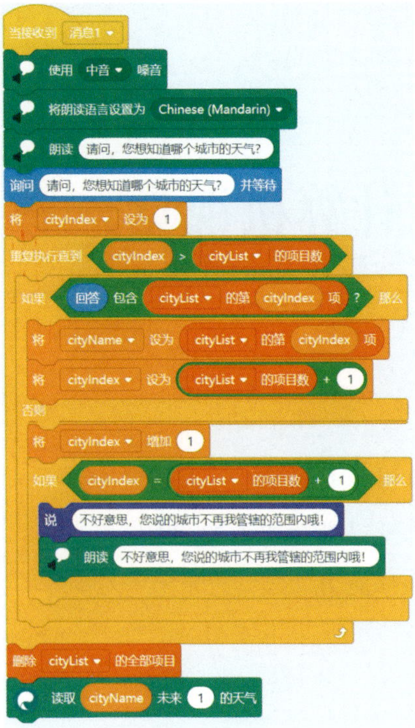

图 2-19 关键词提取

Step3：语音合成，播报获取的城市的天气信息。

语音合成部分的实现方式与基础任务中一致，这里不再描述。

知识点拓展

自然语言处理是研究如何更好地理解语言的技术，涵盖文本分类、语法分析、意图识别、语义理解等。在该领域目前基于深度学习的预训练模型比较流行，比较典型的有ELMO、GPT、BERT、ERNIE、XLNET等。

智能语音助手的应用在如今的生活中已经很普遍了。例如，配置在智能手机上的语音助手、家庭的智能音箱（小爱、叮咚、天猫精灵等）、地图导航的语音播报、智能驾驶系统、智能机器人等都使用了智能语音技术。在人工智能时代，智能语音助手给生活带来了巨大的便利，比如常用的滴滴打车软件中便内置智能语音助手"小滴"，它不仅可以帮助乘客更好地获取打车信息，还可以帮助司机决策去哪里接单，以及给予司机关怀。进而让人工智能更好地服务于我们的出行。

新一代信息技术

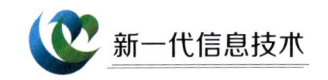

任务二　计算机视觉——看图识物

学习目标

1. 实现让计算机认识图片的功能。
2. 思考为什么计算机可以进行图片的识别。
3. 培养学生的逻辑编程能力。

任务描述

根据语音助手播报的天气信息，小诚最终决定选择烟台作为旅行地。在外出旅游期间，他和同学们遇到了一些不知道品种的植物或者动物。他想像实现语音助手那样实现一个看图识物的任务，以帮助解决他的困惑。

任务分析

基于之前对人工智能的简单了解，小诚知道计算机视觉技术中的图像识别可以帮助他实现这个任务。图像识别通过对图像进行处理、分析，最终识别出指定的物体。其流程如下图 2-20 所示，植物或者动物的图像被摄像设备捕捉后变为待处理的图像，然后经过计算机中相应的模型处理得到识别结果（品种），最后通过相应的辅助手段显示出来。当前图片识别的处理模型大多都是基于深度学习技术实现的。

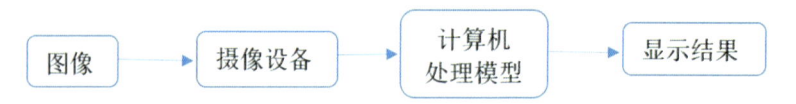

图像 → 摄像设备 → 计算机处理模型 → 显示结果

图 2-20　计算机视觉原理框图

基于可视化编程的经验，他打算借助"BaiduAI"模块来实现这一功能。关于"BaiduAI"模块的加载方式是将给定的资源包中的 s3ext-baiduai 文件放在该软件安装目录下的 extensions 文件夹中，然后重启 Kittenblock 软件即可。BaiduAI 模块支持在运行的状态下自动读取输入到计算机的图像，然后做识别，并返回识别结果。在这里他打算将拍摄到的图像首先存在计算机里，然后基于图片进行识别。因此，本次任务主要分为以下几步：

第一步：加载待识别的图像；
第二步：进行图像识别；
第三步：获取识别结果。

任务实现

1. 加载待识别的图像

这里选择通过将待识别的图片上传为背景的方式，进行待识别的图片的加载。

图 2-21　加载图片作为背景

> 打开 Kittenblock 软件后，点击右下角的添加背景的标志，然后点击上传图片标志，选择指定的路径上传待识别的动物图片。

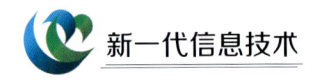

2. 进行图像识别

图 2-22 图像识别

在加载完成待识别的动物图片以后，先调用按下空格键的命令模块，然后调用 BaiduAI 模块并选择范围是动物，以便后续进行图片识别。

3. 获取识别结果

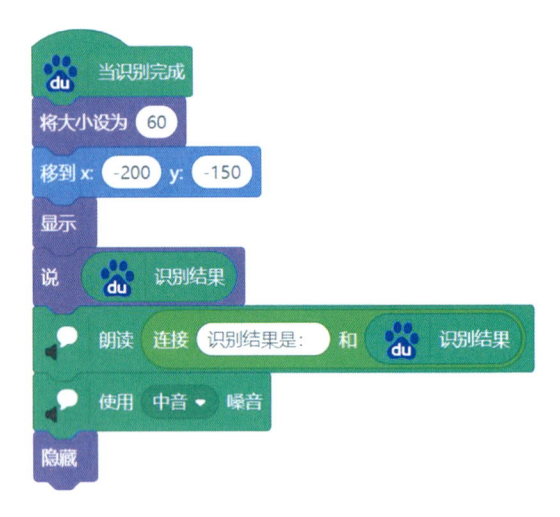

图 2-23 获取识别结果

该部分主要是获取对图片进行识别的结果，然后通过小猫说出来，以及通过语音播报出来。关于各行的代码块的分析如表 2-2 所示：

表 2-2　获取识别结果

模块	作用
当识别完成　　识别结果	当识别完成以后，通过该代码方块获取识别的结果，并保存在"识别结果"的变量中。
将大小设为 60 移到 x: -200 y: -150 显示 说 识别结果	将角色大小设为60； 将小猫角色出现的位置设为（-200，-150）； 调用显示模块，将小猫显示出来； 通过小猫显示出识别结果。
朗读 连接 识别结果是: 和 识别结果 使用 中音 嗓音	语音朗读出识别结果； 将朗读的声音再次设为中音。
隐藏	将小猫隐藏掉。

思维拓展

1. 任务升级

小诚在实现了识别动物图片的任务之后，还想要能识别出更多种类的图片。但是基于上述的实现方法，需要每次手动修改程序中的识别类别。所以他打算通过 ml5 模块实现图片的识别，以免去频繁的改类别的操作。关于模块的加载方式在"程序设计入门"部分已经介绍。

使用 ml5 模块实现图片识别时，同样首先需要上传待识别图片作为背景，代码块部分如图 2-24 所示：

图 2-24　ml5 图片识别

新一代信息技术

思考?

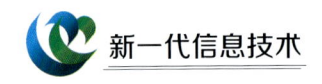

小诚在"基础任务"和"思维拓展"里面分别实现了图片的识别,但实现方式不相同。他在想为什么两个不同的模块都能实现图片识别?

在这里你能先帮他解答一下原因吗?

答案:无论是BaiduAI模块还是ml5模块,其实里面关键做识别的部分是深度神经网络模型;只不过是BaiduAI模块将神经网络模型完全隐藏了,而ml5包含的神经网络模型是可见的,可以在模块中被我们自由选择。但它们的工作原理是相同的。

知识点拓展

图像识别在人工智能领域有着广泛的应用。例如,比较常用的人脸识别技术,其流程是先将目标人脸特征数据注册到数据库以后,再通过摄像头获取待识别的人脸,并通过人脸识别模型提取待识别的人脸特征,与之前注册的人脸特征进行匹配,如果匹配成功,则说明是同一个人。基于人脸识别的常见应用有刷脸支付、人脸解锁、人脸闸机等。此外,常用在监控领域的目标跟踪、安检方面的行人检测、快递单内容识别等都是基于图像识别的应用。

任务三　深度学习——拨开迷雾看本质

学习目标

1. 实现手写字符识别。
2. 理解深度学习的本质。
3. 尝试调节训练参数，提高识别精度。

任务描述

小诚在户外活动结束后，回到家里开始思考为什么计算机可以实现语音交互以及图片识别。通过进一步的学习，他了解到其背后都用到了深度学习这种技术，而深度学习的本质是一种多层神经网络模型。

基于对神经网络的学习，小诚同学想搭建一个深度神经网络模型来体验一下。他了解到 Kittenblock 软件带有的 TensorFlow 模块可以实现简单的神经网络模型的搭建，关于模块的加载在前面"程序设计入门"部分已经介绍，于是他打算搭建一个深度神经网络模型，实现一个手写数字的识别功能，并且测试识别的效果。

任务分析

为了便于理解深度神经网络模型的功能，将待识别的图片被处理的过程表示如图 2-25 所示。

(a)   (b)   (c)

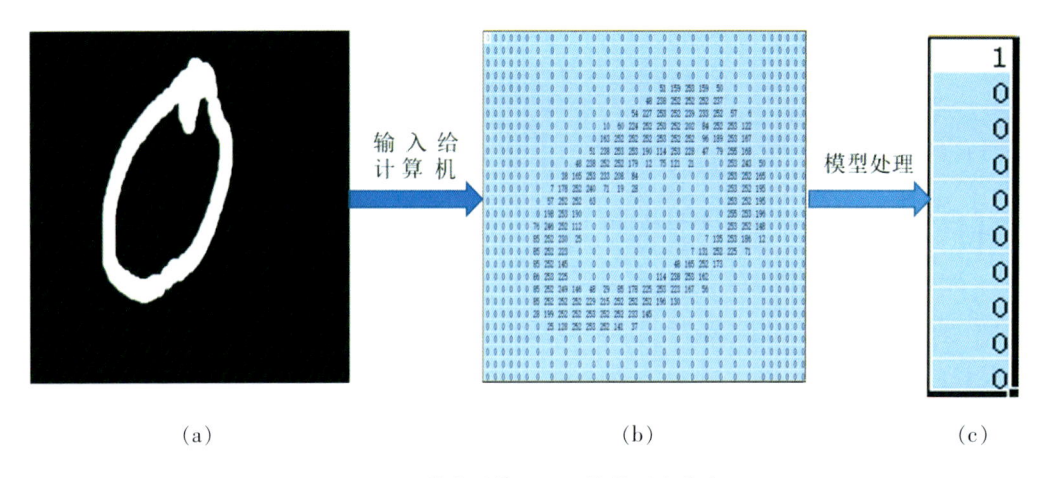

图 2-25　图片在计算机及网络模型中的表示

图 2-25 中，图（a）表示的是一张待识别的图片，图（b）表示我们在处理图片前将其根据像素点灰度的不同转换成一个数字的阵列，其中不同的数值代表了不同的像素点的灰度。图（c）表示图片数据经过训练好的神经网络模型的处理以后输出的结果。我们的目的是输出一个长度 10 的标量，对应着图片被识别为 0~9 这 10 个数字的可能性。比如 [1, 0, 0, 0, 0, 0, 0, 0, 0, 0] 就代表目标图片被是数字 0 的可能性为 1，而是其他数字的可能性为 0。

建立一个手写数字识别的神经网络模型的过程主要包括数据标注、模型搭建以及训练、模型测试三部分。其流程图如下：

图 2-26　神经网络模型的产生流程

基于神经网络模型的建立，实现手写字符的识别主要分为以下几步：

第一步：数据集的获取；

第二步：深度神经网络模型的搭建与训练；

第三步：手写数字进行测试。

整个任务完成以后，效果如图 2-27 所示。即在右边通过鼠标写一个数字"0"以后，通过运行左边的代码块，就可以实现小猫将识别结果播报出来的效果。

图 2-27　识别结果图

任务实现

1. 数据集的获取

数据集的获取是很重要的一步，如果没有数据，即便是搭建完成神经网络模型，也无法进行模型训练。手写数字数据的获取主要是从网址：https://github.com/myleott/mnist_png/raw/master/mnist_png.tar.gz 上进行下载的。然后，将其解压到某个路径下面，为后面加载数据做准备，在解压后的 mnist 文件夹下面有两个文件夹分别是 testing 和 training，一般选择 training 文件夹里的数据作为训练数据。此处获得的数据是已经标注好的数据，即数据集是有标签的（文件夹的名称），从而我们可以知道这个学习的过程是有监督学习。加载训练数据集模块如下：

图 2-28　加载数据集

这里首先需要建立两个列表，分别取名为 xs、ys；其次，通过 TensorFlow 模块读取下载的图片，将图片数据和标签分别存入 xs 和 ys 的列表中。路径加载可以在白色圆边框上点击，将其设置成刚才手写数字数据解压后存放的路径。之后，为了让模型更具有鲁棒性，调用数据洗牌模块对数据进行洗牌。

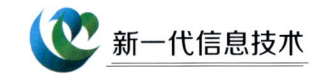

注意：如果觉得training数据集里面的数据太多，加载时间过长，可以考虑将每个数字对应的训练照片减少一些，但注意最好保证每个数字对应的文件夹下图片的数量是一样的。

知识点拓展

数据标注是有监督深度学习工作流程中的首要环节，只有将原始数据经过标注（给予一个标签）以后，才能作为模型训练的输入数据。在真实的业务场景中，通常会根据业务需求采集数据。数据采集的方式分为人工数据采集、自动化数据采集、调研问卷收集等方式；采集到的数据并不能立即被使用，需要对数据进行进一步的清洗、评估、提取、分析等处理，最终将处理过的数据以标准化的格式输出，然后再进行数据标注的工作。常见的标注数据的输出格式有CSV、CNTK、TFRecord、JSON、Pascal VOC等。常用的数据标注软件有VOTT、MRLabeler、CVAT、Labelbox、VIA等。

2. 深度神经网络模型的搭建与训练

搭建深度神经网络模型是本次任务中进行数字识别的重要部分。模型要搭建成什么结构取决于该模型要实现什么样的功能；搭建深度神经网络模型的过程主要是实现各个网络层的叠加。任务中所用到的深度神经网络模型如图2-29所示。同时，模型的各个部分分析如下。

图2-29 神经网络模型的搭建

(1) 定义训练模型

首先是定义一个变量名字为 model 的模型，由于训练集中每张图片的大小是 28×28。所以设置输入图片的维度是 28×28×1。代码部分如下：

图 2-30 设置模型输入数据的维度

(2) 卷积层

图 2-31 卷积层

该行代码表示向模型 model 中添加卷积层 Conv2D，并设置卷积核的大小是 3×3，卷积核定的数目是 32 个，激活函数设置为 Relu 函数；卷积层的作用主要是通过卷积运算提取图像特征。

知识点拓展

1. 卷积核

卷积核是能够与输入图像依次进行卷积运算，并提取输入图像特征的运算单元。一般是 3×3、5×5 的形式；3×3 的卷积核如图 2-32 所示：

图 2-32 卷积核　　　　图 2-33 卷积过程　　　　图 2-34 卷积结果

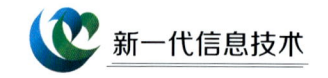

2. 卷积运算

将输入数据例如图 2-25（b）图，从初始位置取同卷积核对应大小的数据，与卷积核对应位置的元素进行相乘并相加，得出卷积的结果；在图 2-33 中简单的呈现了卷积的一部分，不过想实现对输入数据的所有卷积，则需要将卷积核以每次移动一个格的形式进行滑动卷积。

3. 激活函数

激活函数主要是对输入的数据进行非线性化的处理，以便后续更好的进行图像的特征提取。激活函数主要有以下几种形式：

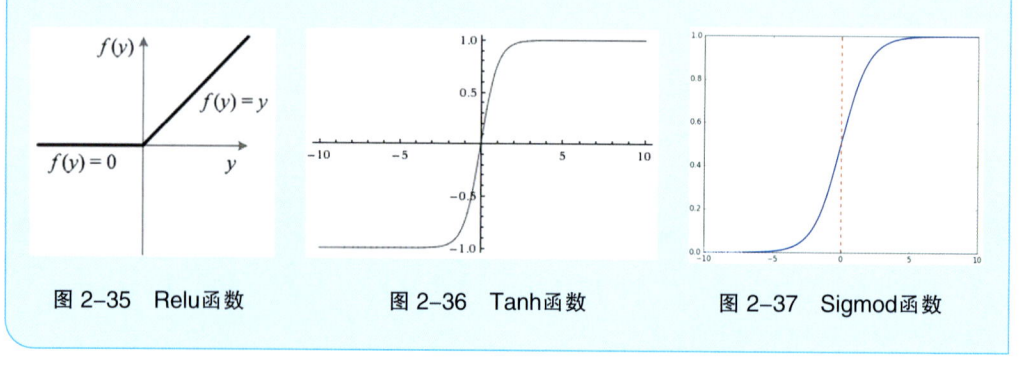

图 2-35　Relu函数　　　图 2-36　Tanh函数　　　图 2-37　Sigmod函数

（3）池化层

图 2-38　池化层

池化层（pooling）的作用是为了进一步减小特征数量。池化分为最大池化（Max pooling）和平均池化（Average pooling）两种形式，表现形式如下：

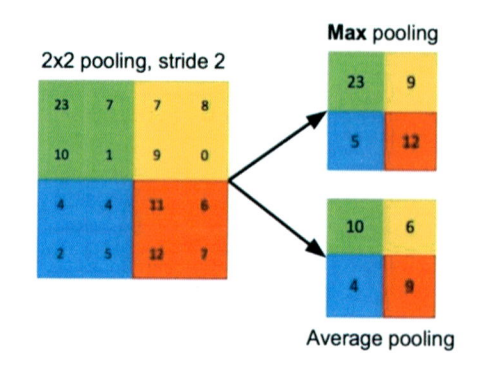

图 2-39　池化层

> 最大池化是找每个颜色相同格子里的最大值；平均池化是找颜色相同格子里各数的平均值；通过这种操作可以减小输入层的尺寸。

(4) Flatten 层与全连接层

图 2-40　Flatten 层

图 2-41　全连接层

Flatten 层的作用是将矩阵展开成一个长块，如图 2-42 所示。Flatten 层的存在只是为了连接卷积层和全连接层，Flatten 层后面可以接很多全连接层。其形式如图 2-40 所示：

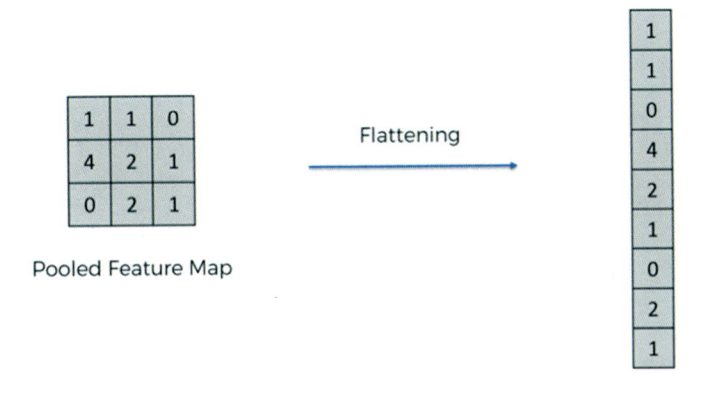

图 2-42　Flatten 层的输出结果

在 Tensorflow 中 Dense 层表示的是全连接层，其设计如图 2-41 所示，全连接层的作用也是实现特征提取，但是全连接层与卷积层的不同点主要是全连接层核的大小与前一层的尺寸大小相同，而卷积层核的尺寸大小要小于前一层尺寸的大小。因此，卷积层核需要进行滑动计算。全连接层核的个数可以在 unit 里设定，而全连接层核的大小是由前一层尺寸的大小来决定的，无需自己设定。

(5) 优化层

模型可以学习的核心是优化层。在模型训练的过程中，模型中的参数依据优化层指示的变化相应的变化。具体优化层部分如图 2-43 所示。可以选取不同的优化器、损失函数以及学习速率调整模型学习的方式和速度。

[模型 model 编译 优化器 sgd ▼ 损失 categoricalCrossentropy ▼ 学习速率 0.1]

图 2-43 优化层

知识点拓展

损失函数用来度量数据通过模型运算之后的预测值和真实值之间的差距，有监督学习就是通过调节参数缩小预测值与真实值之间的差距使得模型学会正确预测的。常见的损失函数有均方误差函数、均方根误差函数、平均绝对误差函数等。

优化函数依据损失函数提供的误差调整模型的参数，最常见的优化方式是反向传播算法。

（6）模型加载数据集

[图片输入 xs xs 通道 WB ▼ 尺寸 5000 维度]
[设置输出标签 ys 尺寸 5000]

图 2-44 模型加载数据集

在搭建好模型之后，通过上述两个模块分别将 xs 列表中存放的前 5000 张数据载入模型。同时对应的标签 ys 列表里取的也是前 5000 个（要能一一对应）。只取 5000 张而非整个数据集的原因只是为了缩短模型训练的时间，一般而言，数据集都是越大越好。

（7）深度神经网络模型的训练

搭建好模型之后就可以对模型基于给定的图片数据进行训练。对配置不高的电脑，模型训练的时间可能会很长，请耐心等待。模型训练的代码块见图 2-45。

[模型 model 训练 5 循环]

图 2-45 训练神经网络模型

空白处填写的是循环的次数,在模型训练的过程中,一般循环次数越多,模型的识别效果越好。但是当循环次数高到一定程度的时候,会容易出现过拟合现象。同样,如果循环次数太低,容易出现欠拟合的现象。所以,模型训练需要设置恰当的次数,本任务中训练次数设置在 10~15 为最佳。在模型训练的过程中,按下键盘上的"~"键可以观察模型训练的进度,以及模型的精度。

知识点拓展

模型的搭建和训练部分主要是依靠深度学习框架来实现的。通过深度学习框架搭建神经网络模型,从很大程度上降低了模型的实现难度,使得模型的实现不再需要从复杂的神经网络编码开始,而是只需要简单的几行代码就可以实现。常见的深度学习框架有 PyTorch、Tensorflow、Caffe/Caffe2、Theano、Keras、CNTK 等。

3. 手写数字进行测试

当网络模型搭建并训练完成以后,我们可以通过交互界面手写数字,观察识别的效果。当然如果想测试模型的效果,需要使用 mnist 文件夹下的 testing 文件里的数据进行准确率验证,该部分将在思维拓展部分实现。

手写数字部分会用到"画笔"模块的内容。该部分内容需要通过新建角色 ball 来协助实现。在角色小猫下,除了搭建和训练模型以外,还需要接收画笔写完以后的数字,并转化成图像送入神经网络模型进行处理和识别,具体操作见图 2-46;而角色 ball 主要是实现画笔功能,具体操作见图 2-47。

图 2-46　手写字符检测

在通过画笔写数字的时候,需要先按下空格键,擦除所有的笔记,然后通过鼠标写数字。当写完以后,按键盘上的 a 键,送去做检测。稍后便能在舞台上看到识别结果。

大数据基础

引 言

半个多世纪以来，计算机技术已经全面融入了我们的工作和生活，由此，海量的数据被记录和存储了起来。互联网（社交、搜索、电商）、移动互联网（微博）、物联网（传感器，智慧地球）、车联网、卫星定位系统、医学影像、安全监控、金融（银行、股市、保险）和电信（通话、短信）的信息系统等都是这些数据的主要来源。如何更有效的存储、处理、分析这些海量数据，使它们更好的为人类服务推动了大数据技术的诞生和发展。与此同时，基于大数据分析的方法论正在深刻变革着人类看待世界的方式，数据科学已经成为认识自然和社会规律的重要范式。

通常人们在谈及大数据时可能指的是海量的数据，也可能是指的处理以及分析大量数据的技术。在本文中为了不造成混淆，将前者统称为大数据，而后者统称为大数据技术。

一、大数据的概念

大数据，采用麦肯锡研究院的定义，指的是规模已经超过了传统数据库软件获取、存储、管理和分析的能力的数据集。通常人们用4V，即数量(Volume)、多样(Variety)、速度(Velocity)和价值(Value)表示大数据的特征。Volume表示数据量的大小，一般大数据指的都是PB级别以上大小的数据集，单台计算机完全存储不下；Variety表示数据类型的多样性，具体体现为视频、语音、图片等大量的非结构化类型数据日益成为数据处理的主流；Velocity表示获取数据的速度，大量视频等实时性数据对处理和分析的速度提出了更高的要求；最后的Value表示数据的价值，海量数据的收集必定伴随着大量的没有价值的数据，总体数据价值的密度非常低，但一旦挖掘到价值，又往往特别高。

名称	简写	换算	换算(Bytes)
byte	B	8bits	1
Kilobyte	KB	1024B	1024
Megabyte	MB	1024KB	1048576
Gigabyte	GB	1024MB	1073741824
Terabyte	TB	1024GB	1099511627776
Petabyte	PB	1024TB	1125899906842624
Exabyte	EB	1024PB	1152921504606846976
Zetabyte	ZB	1024EB	1180591620717411303424
Yottabyte	YB	1024ZB	1208925819614629174706176

图 3-1　数据容量单位的指数型增长

二、结构化、非结构化和半结构化数据

数据的种类一般可分为结构化、非结构化和半结构化三种。其中结构化数据指的是由二维表结构实现的数据类型，数据格式和长度等需要提前确定。我们通常用关系型数据库存储结构化数据。

非结构化数据则是数据结构不规则或不完整，无法预定义格式、大小等，不方便用二维表结构来实现的数据，常见有图片、文本、HTML、音视频等。这类数据是大数据时代数据的主要呈现方式，但传统的关系型数据库无法有效存储和处理这一类的数据，为此我们需要新的数据存处理技术。

半结构化数据是可以预定义部分数据内部的格式，但无法用表结构来表示的一类特殊的数据类型。半结构化数据比结构化数据定义灵活，又不像非结构化数据那样完全无法规定格式，所以新的数据库技术有时也采用半结构化数据作为数据的存储类型。常见的半结构化数据格式有 XML 和 JSON。

学号	姓名	性别	年龄	电话
100001	张一	男	18	33332424
100002	王二	女	20	33331424
100003	李三	女	19	33334252
100004	赵四	男	16	33335920

```
<person>
    <id>100001</id>
    <name>张一</name>
    <gender>男</gender>
    <age>18</age>
    <phone>33332424</phone>
</person>
```

图 3-2　结构化数据　　　　　　　　图 3-3　半结构化数据

三、大数据时代的新技术

大数据时代的标志性技术是新一代的数据库分布式存储和处理框架 Hadoop。

它是 Apache 开源社区基于 Google 公司发表的三篇跨时代的论文（GFS、PageRank 和 MapReduce）开发的，其基于分布式文件系统（HDFS），将数据分割成数据块存放在存储节点上，并且提供了数据自动备份，解决了在容易坏的普通存储介质上存储大量非结构化数据的问题，由此得到了广泛的应用。与此同时诞生的 MapReduce 则保证了系统可以有效地从不同存储节点上提取相同类型的数据进行数据分析。但是传统的 Hadoop 架构处理数据往往周期很长，无法满足数据实时性处理的要求，基于此诞生了基于内存计算的 Spark 框架。同时大数据时代诞生的比较著名的框架还有用于流计算的 Kafka，以及图计算引擎 Neo4j、pregel 等。

四、大数据的处理流程

大数据处理流程是从海量数据中获取有用信息的流程。从大数据系统架构层面分析，主要包括数据感知和采集（数据获取）、数据存储、数据管理、数据计算、数据分析及数据可视化等部分。其中数据获取主要是指通过传感器、日志文件或者爬虫等方式取得待处理的原始数据的过程；数据存储是指以某种形式将数据存放在计算机内部或者外部的存储介质上的过程，通常为了便于进一步的处理，计算机内部采用数据库软件管理存储介质上的数据；数据管理在本书中指的是对数据在整个处理流程中全生命周期的管理，包括数据治理（数据聚合、清洗、去重）、数据变换、对数据的处理过程、处理质量进行监控等，目的在于充分有效的发挥数据的作用；数据计算指的是通过简单的函数对大批量数据进行快速的运算过程，是即时性数据分析和呈现的基础；数据分析指的是如何能够从数据中提取尽可能多的有效信息的过程，多采用复杂的数学算法，用于长期的趋势预测，规律的挖掘等，是最能体现大数据价值的部分；数据可视化是指利用计算机图形学和图像处理技术，将数据转换为图形或者图像在屏幕上显示出来进行交互处理的理论方法和技术。

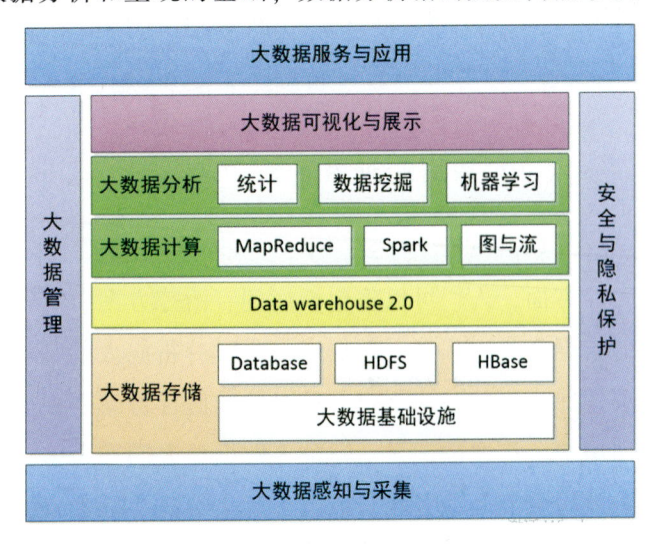

图 3-4　大数据系统架构

五、大数据与数据思维

要深刻理解大数据时代的特点，在大数据时代更好地学习和工作，我们首先要具有数据思维。数据思维是人类最古老的思维方式之一。由于人都受自身有限的经验的限制，单纯的依赖直觉和经验做事往往会出现各种问题：有的时候人们会遇到经验中没有遇到过的问题；有的时候遇到问题和之前看似相似，实际却南辕北辙。于是为了更加客观的看待问题、解决问题，诞生了数据思维，即从事实出发，依据实际采集的数据进行分析并得出结论的方法。运用数据思维，人们做事情不是单从自己主观直觉和经验出发，而是从数据出发，基于数据来做决策分析，从而可以在一定程度上避免单纯从经验出发带来的问题，得出科学的结论。例如牛顿在开普勒三大定律的基础上通过实验推导出万有引力定律，而这一切都来源于对16世纪丹麦天文学家第谷·布拉赫记录的天文数据的分析。

图 3-5 第谷·布拉赫记录的天文数据

六、大数据的应用场景

大数据在当今社会医疗、金融、零售、工业方面都有着非常广泛的应用。在医疗方面，人们可以将包括病例、治疗方案、病人基本特征在内的针对疾病特点的数据收集起来建立数据库。通过分析病人的基本特征、疾病历史等，协助医生更快捷、更准确地制定有针对性的医疗方案。在金融方面，通过收集客户个人信用历史、存取款记录、地址等数据，人们在金融反欺诈、金融贷款快速审核、金融风险管控等业务场景取得了巨大突破。例如互联网金融公司现在可以推出贷款的秒级发放业务。在零售方面，通过用大数据的方式分析客户的购买记录、聊天记录以及其他的一些个人信息，可以帮助公司更好地定位客户需求，推出更符合客户需求的商品，从而指导公司商品生产。在工业方面，制造业企业通过建立企业级大数据平台，收集工业生产中的各种数据，可以更有效的进行设备管理、产线管理、人员监督，完成生产全流程自动化等。大数据的应用场景还有很多，例如大数据政务、大数据交通、大数据体育、大数据环境治理等。多种多样的大数据应用正在切实改变着人们的生活。

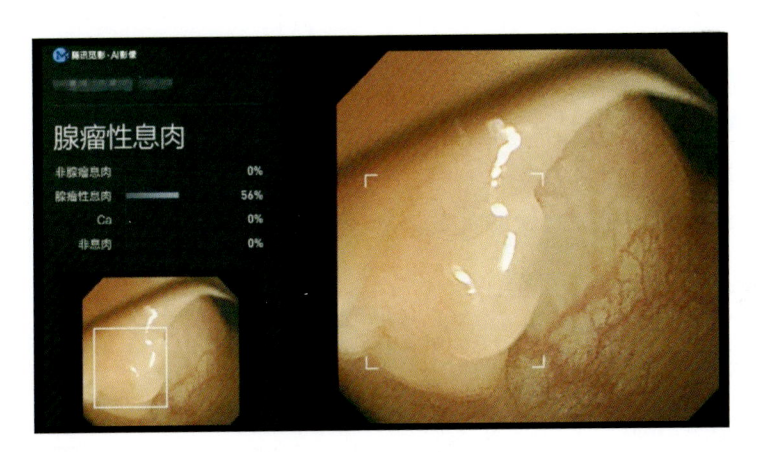

图 3-6　大数据医疗成像

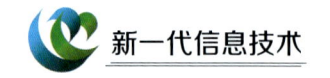

任务一　泰坦尼克号上谁最有可能存活

学习目标

1. 体验数据分析的全流程。
2. 通过数据分析的流程理解大数据各个组成部分的功能和相关关系。

任务描述

小诚最近没事在家迷上了看电影，其中"泰坦尼克号"中描绘的海难景象令他印象深刻。他突然特别好奇，在20世纪初期人们遇到这种重大灾难时反应都是什么样的，是否有一些社会规则在背后影响着泰坦尼克号上乘客最后的存活，于是他找来了当时891名泰坦尼克号上人员的数据进行分析。由于最近学习了大数据的一些知识，他打算用R软件来完成这个分析。R不用配置环境，从网上下载下来就可以直接打开使用，是一种免费易用又功能强大的数据分析软件。

表 3-1　数据标签中英文对照表

存活情况	Survived
客舱等级	Pclass
名字称谓	Name
性别	Sex
年龄	Age
同船的兄弟姐妹和配偶	Sibsp
同船的父母子女	Parch

续表

票号	Ticket
船票费	Fare
船舱号	Cabin
登船港口	Embarked

任务分析

该任务主要是分析泰坦尼克号上存活成员和他们的年龄、性别、客舱等级、家庭成员数量等的关系。任务包括了数据分析的完整流程，主要包括以下几个步骤：

第一步：数据集的获取；

第二步：将获取到的数据进行加载与呈现；

第三步：针对缺失数据的处理；

第四步：挖掘年龄、性别等因素与存活数之间的关系；

第五步：将分析结果以图表等形式呈现出来。

在序言部分有从大数据系统层面介绍过基本的大数据处理流程，结合本次任务场景，大数据处理流程结合本次任务中的数据分析过程可以如下表对应起来，不同的是大数据处理流程是计算机自动完成的，这里我们通过编程手动实现这一过程。

表 3-2　大数据流程与实际数据分析过程的对照表

大数据流程	本次任务的数据分析过程
数据获取	泰坦尼克号乘客数据信息的获取
数据存储	数据加载
数据治理/数据清洗	数据缺失处理
数据挖掘	挖掘年龄、性别等因素与存活数之间的关系
数据可视化	将分析结果以图表等形式呈现出来

新一代信息技术

知识点拓展

大数据的存储

大数据的存储是指以某种结构将数据记录在计算机内部或者外部的存储介质上。常见的物理存储介质主要有随机存取存储器（RAM）、磁盘（HDD）和磁盘阵列、存储级存储器（闪存、SSD）、光盘等。常见的存储结构有穿孔结构等非数字化的形式，Text、Excel、XML、JSON等文件形式，以关系模型为主的数据库系统，对象图、属性列表等。最常见的存储结构就是数据库系统。

存储系统主要分类	经典的系统
分布式文件系统	GFS、HDFS
NoSQL 数据库	键值存储数据库：Dynamo、Redis、Memcached
	列式存储数据库：BigTable、HBase、Cassandra
	文档存储数据库：MongoDB、CouchDB
	图数据库：Neo4J、InfoGrid
NewSQL 数据库	VoltDB、RethinkDB、ScaleDB
SQL 数据库	Oracle、MySQL、SQLServer、IBM Db2

3. 数据缺失处理

在得到数据集之后，经常会遇到数据冗余或者数据缺失的情况。这时候就需要对数据进行清洗。泰坦尼克号的数据主要存在缺失问题，因此需要调用R语言中的方法进行数据缺失处理。

命令	解释
install.packages（"VIM"）	下载名为VIM的R包。包是R中重要概念，其本质是一系列函数的集合，例如VIM就是专门用于处理数据缺失的函数集
library（VIM）	导入VIM包，包必须先导入才可以使用其中的函数

<注> 用 library（VIM）操作导入包时只要没有红字报错，一般就是加载成功。

命令	解释
aggr（data）	用图表的形式显示缺失值

显示结果为：

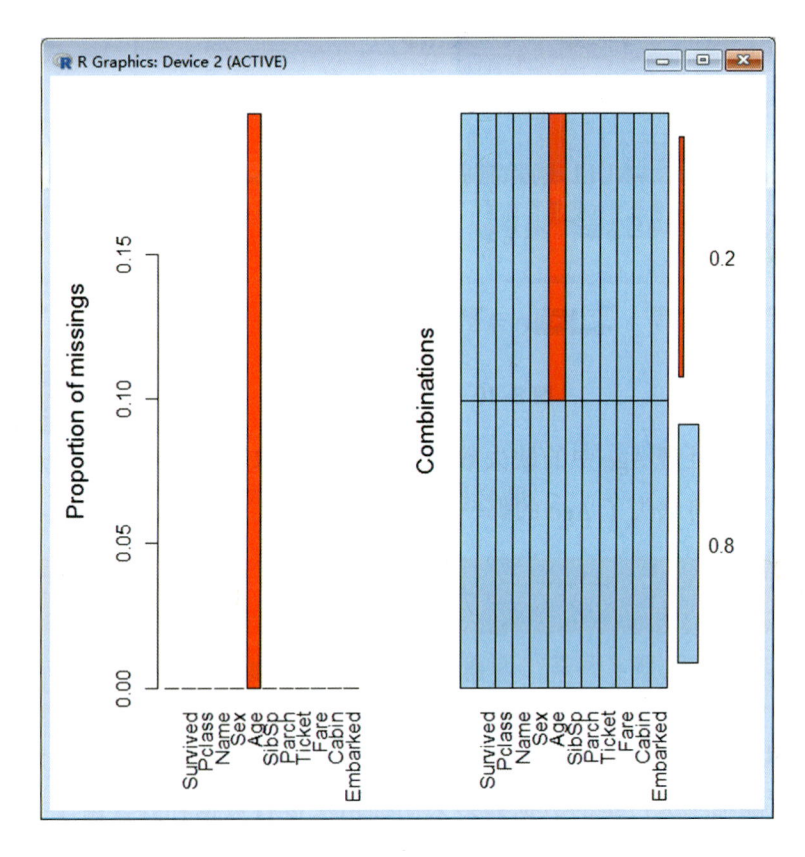

图 3-8　数据缺失情况

图中红色的条代表数据缺失，我们可以看到 Age 这个数据缺失了大概 20%。然后通过 fix（data）查看数据我们又可以发现 Cabin 这个列的数据也存在大量的缺失。但 aggr 没有画出来。这是因为 aggr 只会显示数值型数据的缺失，Cabin 属于非数值型数据，无法显示。由于 Cabin 这个数据列缺失非常严重，同时又和我们想要分析得到的结果不那么相关，所以常见的做法是直接删除。

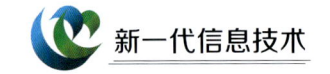

4. 挖掘年龄、性别等因素与存活数之间的关系

在完成了数据获取、存储、清洗之后，就可以对处理好的数据进行挖掘，从而得到有用的信息了。结合泰坦尼克号的数据内容，通过 R 语言对数据进行挖掘的结果如下：

命令	解释
t1 <- aggregate (x = data $Survived, by= list (data$Pclass), FUN = mean)	按客舱等级（Pclass）对乘客是否存活（0 和 1）求平均数，由于 0 是没有存活，1 代表存活，所以平均数越高说明存活率越高，我们把结果存为 t1 便于以后使用
t2 <- aggregate (x = data $Survived, by= list (data$Sex), FUN = mean)	按性别（Sex）对乘客存活（0 和 1）求平均数，female 是指女性，male 指男性，将结果存为 t2
t3 <- aggregate (x = data $Survived, by= list (data$Age), FUN = mean)	按年龄（Age）对乘客存活（0 和 1）求平均数，将结果存为 t3

结果：

（1）按客舱等级分类求平均数，其结果为：

```
  Group.1         x
1       1 0.6296296
2       2 0.4728261
3       3 0.2423625
```

图 3-12　客舱等级与存活率的关系

从结果上分析一等舱存活率为 62%，二等舱为 47%，三等舱为 24%。说明阶级地位对存活率还是有影响的。

（2）按性别求平均数，其结果为：

```
  Group.1         x
1  female 0.7420382
2    male 0.1889081
```

图 3-13　性别和存活率的关系

从结果上分析女性的存活率为 74%，男性的存活率为 19%。说明女性优先这一原则对存活率有重要的影响。

（3）按年龄求平均数

结果是一个很长的列表，这里就省略显示。从这个列表中很难找到规律。我们可以对年龄进行分组再查看规律。

命令	解释
breaks <- c (0, 10, 20, 30, 40, 50, 60, 70, 80)	将年龄按 10 岁一个阶段生成一个划分
group <- cut (data$Age, breaks = breaks)	将年龄按 breaks 这个划分分组
data [,´age_group´] <- group	将按年龄分组这个列填入原数据表中
t4 <- aggregate (x = data $Survived，by = list (data $age_group), FUN = mean)	按年龄分组这个列统计平均数，将结果存为 t4

结果：

```
  Group.1          x
1  (0,10]  0.5937500
2 (10,20]  0.3826087
3 (20,30]  0.3652174
4 (30,40]  0.4451613
5 (40,50]  0.3837209
6 (50,60]  0.4047619
7 (60,70]  0.2352941
8 (70,80]  0.2000000
```

图 3-14 年龄组别和存活率的关系

经统计发现 10 岁以下儿童存活率最高，有 60%。说明遵守了儿童优先这一原则。但同时我们也可以发现 60 岁以上老人的存活率最低，这可能跟西方文化中没有老人优先的传统有关。

新一代信息技术

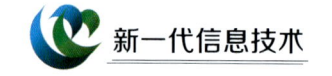

知识点拓展

大数据时代的数据挖掘

数据挖掘是从大量的数据中挖掘出那些令人感兴趣的、隐含的和可能有用的模式或知识的过程,是研究数据、挖掘数据价值的最关键的一步。数据挖掘属于数据分析的一种技术。一般数据分析可分为描述性分析和预测性分析两种,描述性分析一般以描述数据的特征为主,通常会涉及到计算平均值、众数和方差等。这一部分由于计算方法比较成熟,计算复杂度比较低是大数据分析中最常见的分析场景。预测性分析则是要求根据历史记录分析得到未来数据的可能趋势。这一部分通常会涉及到比较复杂的数学知识,计算时间也相对较长,但是这一部分是数据分析的主要价值所在,其主要的技术就是数据挖掘。2006 年 ICDM 国际会议上总结了影响力最高的 10 种数据挖掘算法,包括 C4.5、k-means、SVM、EM、PageRank、AdaBoost、KNN、朴素贝叶斯和 CART,覆盖了分类、聚类、回归和统计学习等方向。挖掘过程中常用到的编程语言是 SQL、R 和 Python 语言。数据挖掘在市场分析和管理、公司分析和风险管理、入侵检测、生物信息、互联网挖掘、智能交通、行业统计、欺诈行为检测和异常模式的发现等方面有着广泛的应用。

5. 可视化

为了便于观察挖掘信息的结果,一般需要将挖掘到的结果以可视化的方式呈现出来。

命令	解释
options（CRAN = " https://cloud.r –project.org/"）	修改 CRAN 镜像。非必须命令。当 ggplot2 下载不下来的时候使用
install.packages（"ggplot2"）	下载 ggplot2,ggplot2 是一个专门用来可视化的 R 包
library（ggplot2）	加载 ggplot2
ggplot（data=t1,mapping =aes（x =Group.1,y=x,fill=Group.1））+ geom_bar（stat= "identity"）	用 ggplot2 画柱状图,数据为数据挖掘中保存的结果 t1、t2、t3、t4,将 data=t1 替换成 data=t2,data=t3 和 data=t4 就可以显示不同的结果了

结果展示：

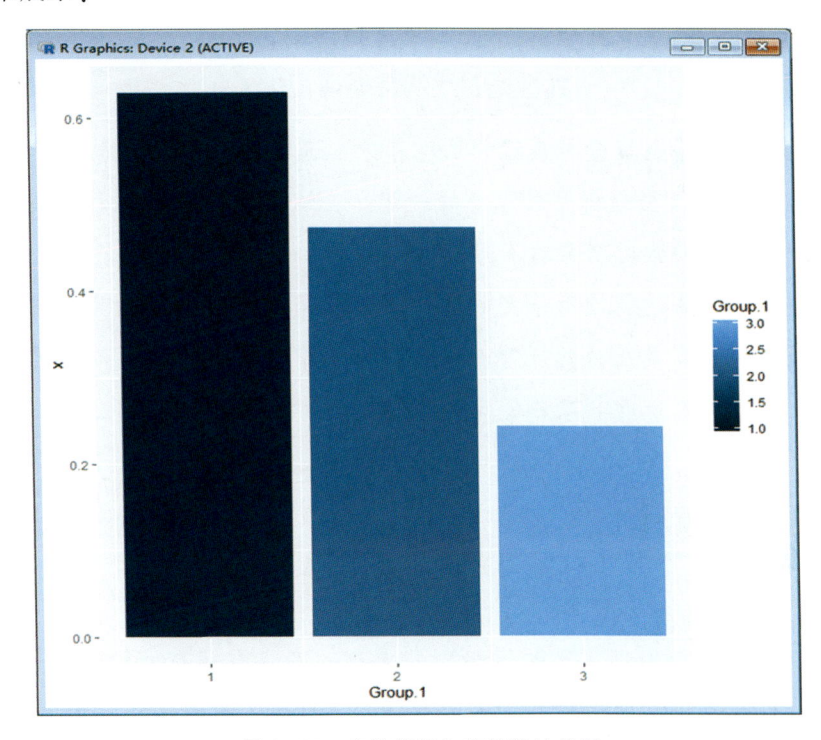

图 3-15 客舱等级与存活率柱状图

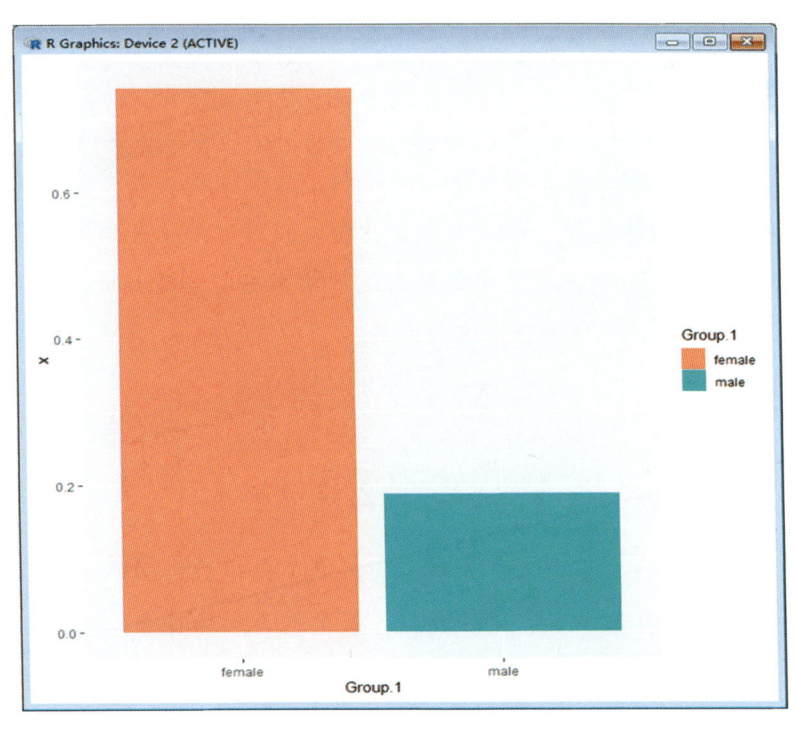

图 3-16 性别与存活率柱状图

知识点拓展

大数据时代的数据可视化

数据可视化是数据分析最后的呈现部分。选取好的可视化方式可以更好、更直观地揭示出数据分析结果本身的规律。在这个例子中选取柱状图可以更好地对比出不同因素对结果的不同影响。

可视化的方法选取没有一定的规律，重点是把握住选取的可视化方式能否很好地反映出需要反映的规律。在标准场景中可视化可以自动化呈现，但是一般来说在商业分析中需要人工手动对图表等信息进行可视化。

思维拓展

1. 任务升级

小诚经过分析后发现了客舱等级高的人（一般是有钱有地位的人），女性和儿童存活比例高，现在他想要进一步了解年龄、性别、客舱等级、家庭成员数量哪一个对存活率的影响大，于是他打算分析这些因素与存活人数之间的相关关系。

知识点拓展

相关关系：一般说的相关关系指的是两个变量间是否具有线性关系，即两个变量的变化趋势是否一致，一个变量增大的同时另一个变量是否相应的增大或变小。Pearson 简单相关系数是由统计学家皮尔逊提出的最早的用于计算两个变量相关性的数学指标，其公式为：

$$r=\frac{\sum(X-\bar{X})(Y-\bar{Y})}{\sqrt{\sum(X-\bar{X})^2\sum(Y-\bar{Y})^2}}$$

其中，X 表示第一个变量的数值，$\bar{X}$ 表示 X 数值的平均数；Y 表示第二个变量的数值，$\bar{Y}$ 表示 Y 数值的平均数。$\sum$ 是累计求和符号。最后的结果取 0 和 1 之间的数值，其中数值越靠近 1 说明两个变量的相关性越高，越靠近 0 说明相关性越低。

附录：区块链

附录：区块链

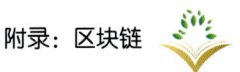

引 言

2008年中本聪发表论文《比特币：一种点对点的电子现金系统》，作为比特币底层技术的区块链逐渐走进了人们的视野。逐渐的，人们发现区块链是一种有效的解决社会信任问题的技术解决方案，于是区块链开始兴盛，被认为是影响未来世界的重要技术。

一、区块链的概念

区块链的概念随着人们对区块链技术的认识和创新在不断更新和拓展，现在一般认为区块链是一种具有共识机制可信的分布式数据库系统。具体来说，区块链是一种基于分布式的，利用块存储数据，利用链保证数据的历史可追溯性，利用加密保证数据传输和访问安全，利用分布式节点间的共识算法来保证数据的不可篡改性，利用由自动化脚本代码组成的智能合约（通证化）来编程和操作数据的去中心化计算框架。其中历史可追溯性和数据的不可篡改性是区块链最重要的两大特点。

图 4-1 区块链的五大组成部分（参见 "Gartner：The reality of Blockchain"）

二、区块链关键技术

区块链保证数据的历史可追溯和不可篡改性主要依靠数据块链式存储和共识机制。这里我们以小诚向同学小王借钱为例简单介绍一下这两种技术以及它们是如何工作的。

1. 共识机制

小诚最近喜欢上了旅游，在一次旅行途中他突然发现手机里的零钱不够了，于是他打算向一起旅行的同学小王借500元钱。现在小王想要一个方式证明自己将钱借给了小诚，他和小诚两人商量了一下，提出了两种证明方式。方式一是两人写一个借据，然后互相签上自己的名字，各留一份，这样如果有一方不承认，另一方可以拿这个借据去法院仲裁。另一种方式是找来同行的其他同学一起见证，这样同学们都知道借了钱，双方谁也没有办法抵赖。第一种保证信用的方式我们称为通过可信中介的方式，第二种就是共识。最终小诚和小王选择了第二种方式。

同第二种方式相同，区块链的共识机制也是相同的运作机制。当有人想要在区块链上写入数据时，需要其他的运行这个区块链的计算节点一同见证和确认。这样就保证了数据的不可篡改性。

2. 区块和链

自从那次借钱之后，小诚同班同学们都觉得这种借款的方式安全有效，所以后来大家纷纷采取这种方式互相借款。在学习了编程知识之后，他们开始使用区块链来记账。这里是他们的一条交易信息：

表 4-1 块（账页）示例

账号	入账	出账	余额	备注
小王	10		100	收到小明转账 10
小明		10	10	转账给小王 10

这些交易信息组成一页账本，在区块链中被称为块（block）。区块链运用了一种叫 Hash 函数的技术将块里面的所有数据转换成一串数字编号，例如 00AB32434。当块记满又生成了新块时，新的块将自身的数据和这串数字一起 Hash 生成新块的数字编号，由此我们就得到了一个区块链，其中每个块的 Hash 值都保有之前块的 Hash 值，这就使得数据可追溯。同时任何对之前块历史记录的更改都会导致之后所有块的 Hash 值的变化，这也是保证块中信息不可篡改的一种方式。

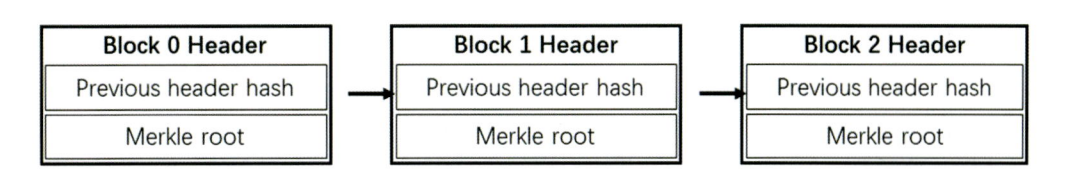

Block 0 Header		Block 1 Header		Block 2 Header
Previous header hash	→	Previous header hash	→	Previous header hash
Merkle root		Merkle root		Merkle root

图 4-2　后一个区块中包含前一个区块的 hash 值

三、区块链的行业应用

在生产物流领域，区块链技术可以解决商品侵权问题。例如美国一家创业公司在红酒供应链工作流程中使用了区块链技术。一旦有人涉及到试图造假，系统就可以通过区块链追踪到复制者，对侵犯商品权，造假者进行惩罚。

区块链可以实现资金链的可追溯性。国内一家金融公司推出过一款公益项目，在网络上发起一些捐款项目收集资金，然后将这些钱用于资助偏远地方的乡村学校或者帮助退休老人等。通过区块链的技术，这家金融公司可以实现追踪资金流的全过程，帮助捐款者了解到自己捐助的资金最终用于什么样的公益项目，实现资金流全程的可追溯。

当前应用区块链的技术主要集中在其分布式存储以及保证数据可追溯不可更改上，其他的应用像病人病史记录的可追溯性等都是类似的例子。

关 键 词

程序设计入门

中文全称	英文全称
应用程序	Application
指令	Command
条件语句	Conditional Statements
界面	Interface
循环语句	Loop Statements
多媒体	Multimedia
程序	Program
编程	Programming
智能机器人	Robot
变量	Variable

人工智能初步

中文全称	英文全称
人工智能	Artifical Intelligence
生物特征识别	Biometric Identification Technology
聊天机器人	Chat Bots
聚类分析	Cluster Analysis
计算机视觉	Computer Vision
数据挖掘	Data Mining
决策树	Decision Tree
深度学习	Deep Learning

关键词

续表

中文全称	英文全称
人机交互	Human-Computer Interaction
图像分类	Image Classification
图像识别	Image Recognition
人脸检测	Facial Recognition
知识图谱	Knowledge Graph
机器学习	Machine Learning
自然语言处理	Natural Language Processing
神经网络	Neural Network
语音合成	Text-to-Speech
有监督学习	Supervised Learning
无监督学习	Unsupervised Learning
虚拟现实/增强现实	Virtual Reality/Augmented Reality
语音识别	Voice Recognition
池化	Pooling
最大池化	Max Pooling
平均池化	Average Pooling

大数据

中文全称	英文全称
大数据	Big Data
数据分析	Data Analysis
数据感知	Data Sensing
数据库	Database
数据采集	Data Collection
数据计算	Data Computing

续表

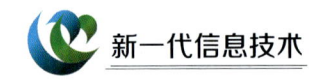

中文全称	英文全称
数据治理	Data Governance
数据管理	Data Management
数据存储	Data Storage
数据可视化	Data Visualization
分布式存储	Distributed Storage
物联网	Internet of Things
相关关系	Relationship
传感器	Sensor
结构化数据	Structured Data
非结构化数据	Unstructured Data
网络爬虫	Web Crawler

区块链

中文全称	英文全称
比特币	Bitcoin
区块链	Blockchain
共识机制	Consensus
去中心化	Decentralization
分布式	Distribution
密码学	Encryption
不可篡改	Immutability
挖矿	Mining
工作量证明	Proof of Work
代币	Tokenization